中國文史經典講堂

二拍選評

目　錄

目　錄

"二拍"的思想內容，最重要的價值是，全部七十八篇作品都是凌濛初自己編寫，或是根據前人說部、筆記、戲曲等敷演而成。孫楷第在《三言二拍源流考》中說："要其得力處在於選擇話題，借一事而構設意象；往往本事在原書中不過數十百字，記敘瑣聞，了無意趣，在小說則清談娓娓，文逾數千，抒情寫景，如在耳目；化神奇於臭腐，易陰慘為陽舒，其功力實亦等於造作。"這段話說明凌濛初能在叢殘小語中，用自己的思想和藝術眼光加以改造，使這些素材成為有完整情節和人物性格，一般都有萬字左右的小說，這種創作力是令人欽佩的。尤其和"三言"作比較時，更可以看出這一點。"三言"有不少作品是宋元舊本，馮夢龍大多是修改舊作。從此點言之，在小說史的貢獻上，凌濛初是應該記上一功的。

　　從內容上看，"二拍"除了有傳統的人物形象如帝王將相，王孫小姐或義士俠客外，特別引人注目的還有一大批商人、妓女等市井中人。作者用肯定和歌頌的態度去寫這一批以前被人看不起的人物，而且寫得栩栩如生，有聲有色，成為"二拍"內容上顯著的一個特點。如《硬勘案大儒爭閒氣》一篇，寫朱熹因挾私嫌於唐仲友，便肆意迫害妓女嚴蕊，要她供出與唐"有染"，以為"婦女柔脆，吃不得刑拷，不論有無，自然招承，便好參奏他的罪名了"，誰知嚴蕊顯示了堅貞的氣節，不肯冤枉好人，使他的打算落空。此故事原出周密《齊東野語》，據研究者考證，與事實有異。但小說把朱熹這位大儒描繪成十足的小人形象，突出刻劃了嚴蕊的堅貞形象，實是代表了晚明文人對作為官方學說的程朱理學的極大厭惡，它所攻擊的直接對象，首先是當代的假道學。

濛初主張小說必須能一新讀者耳目，讓讀者在愉悅的審美中獲得精神享受。換句話說，作品帶有娛樂性是必須的，他在《拍案驚奇序》中說到這部書的寫作目的和過程時說："因取古今來雜碎事，可新聽睹，佐詼諧者，演而暢之，得若干卷。"要使作品有娛樂性，其中一個辦法就是追求故事情節的"奇"，這也是他把書名叫做《拍案驚奇》的本意。其次，"二拍"基本是應書商要求而創作的，更準確的說，是一種文化商品，因為是商品，所以必須面對大眾，要有廣大讀者群，就不同於文人自娛自樂的白話小說，而是充分考慮了讀者的需求。《二刻拍案驚奇小引》中提到，本書是因為"為書賈所偵，因以梓傳請，遂為鈔撮成民編"。淩濛初可以說是比較早覺察到要把文學作品從書齋引向商業市場的一個文人。第三，雖然小說是商品，要娛樂他人，但如果沒有作者的真情投入，也難以感動他人。淩濛初起初寫小說，是因為科場失利，因而借小說以發洩心中的不平，"姑以遊戲為快意耳"，目的是"聊舒胸中磊塊"（《二刻拍案驚奇小引》）。同時，他認同小說必須要有教化的功能，即如《二刻拍案驚奇小引》所說的"意存勸戒，不為風雅罪人"。雖然他在自己的作品中有時做不到這一點，偶然有庸俗趣味的描寫，如寫得較為露骨的性慾，但這一點也可以理解為"食色性也"，是他重視人性，尊重人性的表現。基於他這些文學思想，"二拍"中的每一篇作品都大致由三部分組成，開頭往往是說教性的觀點，之後是一個短小的故事作為入話，吊足了人的胃口，然後才是曲折離奇的故事正文，可謂淋漓酣暢。

在小說的評價上，一般都以"三言"高於"二拍"。有關

前　言

　　中國古代白話小說是由說書發展出來的，到了晚明時，因為物質條件和社會條件的成熟，原來以單篇流傳的話本小說，開始有人把它們整理結集成為小說集。較早的有嘉靖年間洪楩的《清平山堂話本》，但影響最大的則是馮夢龍的"三言"，即《喻世明言》、《警世通言》、《醒世恒言》，接下來，就要算是"二拍"了。"二拍"由《初刻拍案驚奇》和《二刻拍案驚奇》構成，作者創作的直接原因之一是"三言"的編纂和暢銷，另一原因是淩濛初科場的失意。《拍案驚奇》成書於天啟七年（1627），第二年由尚友堂書坊刊行問世。《二刻拍案驚奇》刊於崇禎五年（1632）。"二拍"各四十卷四十篇，而其中《二刻拍案驚奇》第二十三卷與《拍案驚奇》重複，第四十卷已亡佚，補雜劇《宋公明鬧元宵》權以充數，因而"二拍"實存小說七十八卷七十八篇。

　　與"三言"多來自"家藏古今通俗小說"（《古今小說序》）相比，"二拍"中已不再有收錄改編舊傳話本之作，而完全是作者據野史筆記、文言小說和當時社會傳聞創作的。前者多為編選改訂，後者則着力於創作。從中國古代白話短篇小說的發展看，將小說由書場帶到案頭成為讀物的功臣是馮夢龍；而將短篇小說由累積型的集體創作轉為作家個人創作的功臣則是淩濛初。

　　淩濛初（1580－1644）字玄房，號初成，別號即空觀主人，烏程（今浙江湖州）人，祖先世代為官，祖父淩約言是嘉靖十九年進士，官至大名府通判，後來辭官回家，與兄弟凌稚隆一起從事編纂工作。烏程凌氏是當時頗有盛名的書刻家，又與創造著名"閔版"的出版世家烏程閔氏世代姻親，因此凌濛初是在浸染着商業氣息的濃厚文化氛圍中成長的。他天資聰穎，但命運蹇促，幼時家道已漸衰落，大哥、二哥與父親又先後去世，家境凄涼可知。凌濛初很早成名，十七歲之前就為當時著名理學家耿定向所稱賞。但自他十二歲入學，十八歲補廩膳生，此後屢次應舉不第，這使他對功名仕途失去了信心，憤慨之下而作《絕交舉子書》，並在杼山和戴山間築了一座精舍，決意歸隱終老。後來被贛州撫軍潘昭度聘為幕僚，崇禎七年（1634），五十五歲的凌濛初以優貢授上海縣丞，兼署令事，八個月後，又署海防。在任八年，政績頗佳。崇禎十五年，他被擢升為徐州通判，分署房村治河，治河有功，被兩淮巡撫路振飛"表獎者再"。次年，陳小乙領導農民起義，凌濛初向兵備淮徐的何騰蛟獻《剿寇十策》，並且單騎說降陳小乙成功。1644年初，李自成的一支農民起義軍包圍房村，凌濛初困守城樓，憂憤嘔血而死。凌濛初著述宏富。據《湖州府志》記載，有學術著作《聖門傳詩嫡塚》、《詩經人物考》，詩文集《雞講齋詩文》、《國門集》，散曲集《南音三籟》等，但他最主要的成就還在小說和戲曲方面，戲曲方面他先後編寫了《北紅拂》、《顛倒姻緣》、《虬髯翁》、《喬合衫襟記》、《莽擇配》、《宋公明鬧元宵》等六部戲劇，曾得到湯顯祖等人的高度評價。

　　凌濛初"二拍"直接面向市井百姓，通俗性、娛樂性很強，在民間流傳很廣。這主要得益於以下三個方面。首先，凌

"二拍"中寫縉紳名流厚顏無恥、兇暴殘忍、忘恩負義之類行徑的故事特多，也是基於相同的出發點。所謂"官與賊人不爭多"（《二刻》卷二十）、"何必儒林勝綠林"（《初刻》卷八）。這樣的評語，表現了作者對社會統治力量的認識。

　　在反映商人的經濟活動和追求財富的人生觀念方面，"二拍"也更為集中和具體。如《烏將軍一飯必酬》的"頭回"，寫王生與孀母楊氏相依為命，王生經商屢遭風險，楊氏一再出資相助，鼓勵他不可洩氣。這個以經商為"正經"、頗為貪財的楊氏，與過去文學作品中所描繪的商家婦女形象有根本的不同；而作者稱讚她是"大賢之人"，也明顯是市民觀念上的評價。另外，《轉運漢遇巧洞庭紅》、《疊居奇程客得助》，均以歡快的文筆描述商人的奇遇，突出了商業活動中的偶然因素和把握機會的重要，撇開其神奇的成分，實際是讚賞敢於冒險求財富的人生選擇。

　　與"三言"一樣，愛情與婚姻也是"二拍"中最重要的主題，在肯定"情"對於人生的至高價值，更多地把"情"與"慾"即性愛聯繫在一起，並且對女性的情慾多作肯定的描述，這對傳統道德觀的衝擊更為直接。不過，在肯定情與慾時，每每伴以直露的性行為描寫，如《任君用恣樂深閨》一篇，指斥富貴之家廣蓄姬妾是對女性的不公平，認為"男女大慾，彼此一般"，其見識是可取的，但故事情節的描繪，則顯得過於庸俗。

　　"二拍"在描寫愛情與婚姻故事時，和"三言"一樣，常常對婦女的權利作出肯定。《滿少卿饑附飽颺》中作者明白地指出，男子續弦再娶、宿娼養妓，世人不以為意，而女子再嫁，或稍有外情，便萬口訾議，這是不公平的，兩性關係上的平等意識，表現得相當明確。《酒下酒趙尼媼迷花》一篇，寫巫娘子遭人姦污，之後設計報仇，丈夫見她"立志堅貞，越相敬重"。這裏對婦女的"堅貞"的看法，也明顯與"餓死事小，失節事大"的理學教條相背，而更具人道色彩和接近現代意識。

至於"二拍"的藝術成就，最主要是擅於說故事，而且把故事說得生動有趣，引人入勝。一方面，如上面所說，他擅於把簡單的素材作藝術加工，所以看出他有較強的創作能力。另一方面，他洞悉小說這個文學體裁的特點之一是必須娛樂讀者，而小說的娛樂性，對知識水平不高的讀者來說，最容易打動他們的手法，就是奇異巧妙的情節，使他們看了之後拍案叫絕，"拍案驚奇"的小說，就是好的小說。"二拍"中情節曲折離奇、充滿巧合的作品不少，像《文秀才移花接木》，奇特之處，一是女主角女扮男裝，文武雙全，婚姻由自己作主，這和傳統的女性完全不同，其所作所為令人驚訝。奇特之二是情節曲折、巧合處處，故事一開始便是誤會重重，聞俊卿原是喜歡杜子中，用來決疑的箭也是由杜拾得的，但卻把箭交給魏撰之，這是一個誤會；聞俊卿此時不表露女子的身份，只說是代姊許婚，是擇而未擇，是另一個誤會。總之，故事一開始便疑雲重重，吸引讀者看下去；而作者則胸有成竹地展開故事，清楚明白地向讀者介紹了這個曲折離奇的愛情喜劇。這是"二拍"在寫作技巧上最成功的地方。

"二拍"出版後，很快成為當時社會的暢銷書廣泛流傳。以《初刻》為例，雖屢遭查禁，但可見的版本仍有尚友堂本、覆尚友堂本、消閒居本、聚錦堂本、松鶴齋本、萬元樓本、同文堂本、鱣飛堂本、文秀堂本、同人堂本、細燕野堂本等十幾種，可見這些讀物深受一般市民的歡迎。到了清代，"二拍"被視為"淫詞小說"屢遭禁毀，到清中葉《二刻》已經不大流傳。在道光、同治年間浙江、江蘇頒佈禁止淫詞小說的命令時，其所開的書單都只有《初刻》而沒有《二刻》，那是因為到此時《二刻》已不大為人所知了，所以有一段時間也不容易找個全本來看。此外，大約在"二拍"面世五年後的崇禎十年（1637），出現了《今古奇觀》這本書。它選錄了"三言"的二十九篇和"二拍"的十一篇作品。其中選入的都是兩書精華。有了《今古奇觀》，看"三言二拍"的人就少了。上世紀二十年代初魯迅撰寫《史略》時，還不能看到《喻世明言》和《警世通言》，"謹知其序目"，國內只有《醒世恒言》一種，反而在日本藏有比較完整的版本。目前所知的《初刻拍案驚奇》，初版在崇禎元年（1628），由尚有堂刊行，共四十卷，現存日本日光輪王寺慈眼堂法庫。《二刻拍案驚奇》仍由尚友堂刊行，現存的最佳版本是重印本，藏日本內閣文庫。解放後，"二拍"由章培恒整理，王古魯、章培恒注釋，於1982年由上海古籍出版社再版。這些版本都作了校勘並有注解，是研究和欣賞古代短篇白話小說最好的本子。

由於本書篇幅有限，我們從總共七十八篇小說中精選了十一篇具有代表性的、也是廣為人知的佳篇進行精賞，希望借此能使讀者對"二拍"思想內容與藝術成就有所瞭解，從而能夠更深入地體味中國古典白話小說所蘊涵的獨特民族審美取向和文化內涵，並為中華民族傳統文化的博大精深而震撼，那麼，本書就達到了目的。

初刻拍案驚奇

轉運漢遇巧洞庭紅　波斯胡指破鼉龍[①]殼

詞云：

> 日日深杯酒滿，朝朝小圃花開。自歌自舞自開
> 懷，且喜無拘無礙。
>
> 青史幾番春夢，紅塵多少奇材。不須計較與安
> 排，領取而今見在。

這首詞乃宋朱希真[②]所作，詞寄《西江月》。單道着人生功名富貴，總有天數，不如圖一個見前[③]快活。試看往古來今，一部十七史中，多少英雄豪傑，該富的不得富，該貴的不得貴。能文的倚馬千言[④]，用不着時，幾張紙蓋不完醬瓿[⑤]。能武的穿楊百步，用不着時，幾竿箭煮不熟飯鍋。及至那癡呆懵董生來的有福分的，隨他文學低淺，也會發科發甲，隨他武藝庸常，也會大請大受[⑥]。真所謂時也，運也，命也。俗語有兩句道得好："命若窮，掘得黃金化作銅；命若富，拾着白紙變成布。"總來只聽掌命司顛之倒之。所以吳彥高又有詞云："造化小兒無定據，翻來

---

1 鼉（tuó）龍：即揚子鰐，俗稱豬婆龍。

2 朱希真：南宋詞人，名敦儒。

3 見前：即眼前。

4 倚馬千言：東晉桓溫北征時，袁宏倚在馬前草擬文告，轉眼寫滿七頁紙。後形容一個人才思敏捷。

5 蓋不完醬瓿（bù）：瓿，指小罐。這裏指文章寫得不好。

6 大請大受：指領取高薪厚祿。

覆去，倒橫直豎，眼見都如許。"僧晦庵亦有詞云："誰不願黃金屋？誰不願千鍾粟？算五行不是這般題目。枉使心機閒計較，兒孫自有兒孫福。"蘇東坡亦有詞云："蝸角虛名[1]，蠅頭微利，算來着甚干忙？事皆前定，誰弱又誰強？"這幾位名人說來說去，都是一個意思。總不如古語云："萬事分已定，浮生空自忙。"

說話的[2]，依你說來，不須能文善武，懶惰的也只消天掉下前程；不須經商立業，敗壞的也只消天掙與家緣。卻不把人間向上的心都冷了？看官有所不知，假如人家出了懶惰的人，也就是命中該賤；出了敗壞的人，也就是命中該窮，此是常理。卻又自有轉眼貧富出人意外，把眼前事分毫算不得準的哩。

且聽說一人，乃宋朝汴京人氏，姓金，雙名維厚，乃是經紀行中人[3]。少不得朝晨起早，晚夕眠遲，睡醒來，千思想，萬算計，揀有便宜的才做。後來家事掙得從容[4]了，他便思想一個久遠方法：手頭用來用去的，只是那散碎銀子；若是上兩塊頭好銀，便存着不動。約得百兩，便熔成一大錠，把一綜紅線結成一條[5]，繫在錠腰，放在枕邊。夜來摩弄一番，方才睡下。積了一生，整整熔成八錠，以後也就隨來隨去，再積不成百兩，他也罷了。金老生有四子。一日，是他七十壽旦，四子置酒上壽。金老見了四子蹌蹌蹌蹌[6]，心中喜歡。便對四子說道："我靠皇天覆

---

1 蝸角虛名：語出《莊子》，指微不足道的虛名。

2 說話的：這是作者代讀者設問，是話本和擬話本中常用的手法。

3 經紀行中人：指古代市場上撮合買賣的中間人。

4 從容：寬裕的意思。

5 條：帶子。

6 蹌蹌蹌蹌：形容走路有節奏的樣子，這裏指兒孫滿堂，井然有序。

庇，雖則勞碌一生，家事盡可度日。況我平日留心，有熔成八大錠銀子永不動用的，在我枕邊，見①將絨線做對兒結着。今將揀個好日子分與爾等，每人一對，做個鎮家之寶。"四子喜謝，盡歡而散。

是夜金老帶些酒意，點燈上床，醉眼模糊，望去八個大錠，白晃晃排在枕邊。摸了幾摸，哈哈地笑了一聲，睡下去了。睡未安穩，只聽得床前有人行走腳步響，心疑有賊。又細聽着，恰象欲前不前相讓一般。床前燈火微明，揭帳一看，只見八個大漢身穿白衣，腰繫紅帶，曲躬而前，曰："某等兄弟，天數②派定，宜在君家聽令。今蒙我翁過愛，抬舉成人，不煩役使，珍重多年，冥數將滿。待翁歸天後，再覓去向。今聞我翁目下將以我等分役諸郎君。我等與諸郎君輩原無前緣，故此先來告別，往某縣某村王姓某者投託。後緣未盡，還可一面。"語畢，回身便走。金老不知何事，吃了一驚。翻身下床，不及穿鞋，赤腳趕去。遠遠見八人出了房門。金老趕得性急，絆了房檻，撲的跌倒。颯然驚醒，乃是南柯一夢。急起挑燈明亮，點照枕邊，已不見了八個大錠。細思夢中所言，句句是實。歎了一口氣，哽咽了一會，道："不信我苦積一世，卻沒分與兒子們受用，倒是別人家的？明明說有地方姓名，且慢慢跟尋下落則個③。"一夜不睡。

次早起來，與兒子們說知。兒子中也有驚駭的，也有疑惑的。驚駭的道："不該是我們手裏東西，眼見得作怪。"疑惑的

---

1 見：同"現"。

2 天數：古代人把不可預見的事情都歸於上天的安排，稱為天數。

3 則個：語氣助詞，"吧"的意思。

道：“老人家歡喜中說話，失許了我們，回想轉來，一時間就不割捨得分散了，造此鬼話，也不見得。”金老見兒子們疑信不等，急急要驗個實話。遂訪至某縣某村，果有王姓某者。叫門進去，只見堂前燈燭熒煌，三牲福物①，正在那裏獻神。金老便開口問道：“宅上有何事如此？”家人報知，請主人出來。主人王老見金老，揖坐了，問其來因。金老道：“老漢有一疑事，特造上宅來問消息。今見上宅正在此獻神，必有所謂，敢乞明示。”王老道：“老拙偶因寒荊②小恙買卜，先生道移床即好。昨寒荊病中，恍惚見八個白衣大漢，腰繫紅束，對寒荊道：‘我等本在金家，今在彼緣盡，來投身宅上。’言畢，俱鑽入床下。寒荊驚出了一身冷汗，身體爽快了。及至移床，灰塵中得銀八大錠，多用紅絨繫腰，不知是那裏來的。此皆神天福祐，故此買福物酬謝。今我丈來問，莫非曉得些來歷麼？”金老跌跌腳道：“此老漢一生所積，因前日也做了一夢，就不見了。夢中也道出老丈姓名居址的確，故得訪尋到此。可見天數已定，老漢也無怨處，但只求取出一看，也完了老漢心事。”王老道：“容易。”笑嘻嘻地走進去，叫安童③四人，托出四個盤來。每盤兩錠，多是紅絨繫束，正是金家之物。金老看了，眼睜睜無計所奈，不覺撲簌簌吊下淚來。撫摩一番道：“老漢直如此命薄，消受不得！”王老雖然叫安童仍舊拿了進去，心裏見金老如此，老大不忍。另取三兩零銀封了，送與金老作別。金老道：“自家的東西尚無福，何

---

1 三牲福物：祭神的禮品。三牲，指牛、羊、豬。

2 寒荊：妻子的意思。

3 安童：年幼的僕人。

須尊惠！"再三謙讓，必不肯受。王老強納在金老袖中，金老欲待摸出還了，一時摸個不着，面兒通紅。又被王老央不過，只得作揖別了。直至家中，對兒子們一一把前事說了，大家歎息了一回。因言王老好處，臨行送銀三兩。滿袖摸遍，並不見有，只說路中掉了。卻元來金老推遜時，王老往袖裏亂塞，落在着外面的一層袖中。袖有斷線處，在王老家摸時，已在脫線處落出在門檻邊了。客去掃門，仍舊是王老拾得。可見一飲一啄，莫非前定[1]。不該是他的東西，不要說八百兩，就是三兩也得不去。該是他的東西，不要說八百兩，就是三兩也推不出。原有的倒無了，原無的倒有了，並不由人計較。

而今說一個人，在實地上行，步步不着，極貧極苦的，渺渺茫茫做夢不到的去處，得了一主沒頭沒腦的錢財，變成巨富。從來稀有，亙古新聞。有詩為證，詩曰：

分內功名匣裏財，不關聰慧不關呆。
果然命是財官格[2]，海外猶能送寶來。

話說國朝成化年間，蘇州府長洲縣閶門外有一人，姓文名實，字若虛。生來心思慧巧，做着便能，學着便會。琴棋書畫，吹彈歌舞，件件粗通。幼年間，曾有人相他有巨萬之富。他亦自恃才能，不十分去營求生產，坐吃山空，將祖上遺下千金家事，看看消下來。以後曉得家業有限，看見別人經商圖利的，時常獲

---

1 一飲一啄，莫非前定：一飲一啄，指人的飲食，引申為一生所享受的都是前生注定的。
2 財官格：算命術語，指人命中交好運。

利幾倍，便也思量做些生意，卻又百做百不着。

一日，見人說北京扇子好賣，他便合了一個夥計，置辦扇子起來。上等金面精巧的，先將禮物求了名人詩畫，免不得是沈石田、文衡山、祝枝山①拓了幾筆，便值上兩數銀子。中等的，自有一樣喬人②，一隻手學寫了這幾家字畫，也就哄得人過，將假當真的買了，他自家也兀自做得來的。下等的無金無字畫，將就賣幾十錢，也有對合利錢③，是看得見的。揀個日子裝了箱兒，到了北京。豈知北京那年，自交夏來，日日淋雨不晴，並無一毫暑氣，發市甚遲。交秋早涼，雖不見及時，幸喜天色卻晴，有妝晃④子弟要買把蘇做的扇子，袖中籠着搖擺。來買時，開箱一看，只叫得苦。元來北京曆瀝⑤卻在七八月，更加日前雨濕之氣，鬥着扇上膠墨之性，弄做了個"合而言之"⑥，揭不開了。用力揭開，東粘一層，西缺一片，但是有字有畫值價錢者，一毫無用。剩下等沒字白扇，是不壞的，能值幾何？將就賣了做盤費回家，本錢一空。

頻年做事，大概如此。不但自己折本，但是搭他作伴，連夥計也弄壞了。故此人起他一個混名，叫做"倒運漢"。不數年，把個家事乾圓潔淨了，連妻子也不曾娶得。終日間靠着些東塗西抹，東挨西撞，也濟不得甚事。但只是嘴頭子謅得來，會說會

---

1 沈石田、文衡山、祝枝山：指沈周、文徵明、祝允明，都是明代著名文人。

2 喬人：狡詐之人。

3 對合利錢：即對本對利。

4 妝晃：指故做風雅，愛裝門面的子弟。

5 曆瀝：指陰濕氣，反覆無常的天氣。

6 合而言之：語出《孟子》，指扇子粘在一塊，打不開了。

笑，朋友家喜歡他有趣，遊耍去處少他不得；也只好趁口①，不是做家的。況且他是大模大樣過來的，幫閒行裏，又不十分入得隊。有憐他的，要薦他坐館教學，又有誠實人家嫌他是個雜板令②，高不湊，低不就。打從幫閒的、處館的兩項人見了他，也就做鬼臉，把“倒運”兩字笑他，不在話下。

一日，有幾個走海販貨的鄰近，做頭的無非是張大、李二、趙甲、錢乙一班人，共四十餘人，合了夥將行。他曉得了，自家思忖道：“一身落魄，生計皆無。便附了他們航海，看看海外風光，也不枉人生一世。況且他們定是不卻我的，省得在家憂柴憂米的，也是快活。”正計較間，恰好張大踱將來。元來這個張大名喚張乘運，專一做海外生意，眼裏認得奇珍異寶，又且秉性爽慨，肯扶持好人，所以鄉里起他一個混名，叫張識貨。文若虛見了，便把此意一一與他說了。張大道：“好，好。我們在海船裏頭不耐煩寂寞，若得兄去，在船中說說笑笑，有甚難過的日子？我們眾兄弟料想多是喜歡的。只是一件，我們多有貨物將去，兄並無所有，覺得空了一番往返，也可惜了。待我們大家計較，多少湊些出來助你，將就置些東西去也好。”文若虛便道：“謝厚情，只怕沒人如兄肯周全小弟。”張大道：“且說說看。”一竟自去了。

恰遇一個瞽目③先生敲着“報君知”④走將來，文若虛伸手順袋裏摸了一個錢，扯他一卦問問財氣看。先生道：“此卦非凡，

---

1 趁口：混口飯吃。

2 雜板令：指學無專長的人，甚麼都知道點兒，又甚麼都不精通。

3 瞽目：指瞎子。

4 報君知：算命瞎子手中的鐵板。

有百十分財氣，不是小可。"文若虛自想道："我只要搭去海外耍耍，混過日子罷了，那裏是我做得着的生意？要甚麼齎助①？就齎助得來，能有多少？便直恁地財交動？這先生也是混帳。"只見張大氣忿忿走來，說道："說着錢，便無緣。這些人好笑，說道你去，無不喜歡。說到助銀，沒一個則聲。今我同兩個好的弟兄，拼湊得一兩銀子在此，也辦不成甚貨，憑你買些果子，船裏吃罷。日食之類，是在我們身上。"若虛稱謝不盡，接了銀子。張大先行，道："快些收拾，就要開船了。"若虛道："我沒甚收拾，隨後就來。"手中拿了銀子，看了又笑，笑了又看，道："置得甚貨麼？"信步走去，只見滿街上篋籃內盛着賣的：

紅如噴火，巨若懸星。皮未皸，尚有餘酸；霜未降，不可多得。元殊蘇井諸家樹，亦非李氏千頭奴。較廣似曰難兄，比福亦云具體。

乃是太湖中有一洞庭山，地暖土肥，與閩廣無異，所以廣橘福橘，播名天下。洞庭有一樣橘樹絕與他相似，顏色正同，香氣亦同。止是初出時，味略少酸，後來熟了，卻也甜美。比福橘之價十分之一，名曰"洞庭紅"。若虛看見了，便思想道："我一兩銀子買得百斤有餘，在船可以解渴，又可分送一二，答眾人助我之意。"買成，裝上竹簍，僱一閒的，並行李挑了下船。眾人都拍手笑道："文先生寶貨來也！"文若虛羞慚無地，只得吞聲上船，再也不敢提起買橘的事。

開得船來，漸漸出了海口，只見銀濤捲雪，雪浪翻銀。湍轉則日月似驚，浪動則星河如覆。三五日間，隨風漂去，也不覺過

---

1 齎助：指把東西送給人。

了多少路程。忽至一個地方，舟中望去，人煙湊聚，城郭巍峨，曉得是到了甚麼國都了。舟人把船撐入藏風避浪的小港內，釘了椿橛，下了鐵錨，纜好了。船中人多上岸。打一看，元來是來過的所在，名曰吉零國。元來這邊中國貨物拿到那邊，一倍就有三倍價。換了那邊貨物，帶到中國也是如此。一往一回，卻不便有八九倍利息，所以人都拚死走這條路。眾人多是做過交易的，各有熟識經紀、歇家、通事①人等，各自上岸找尋發貨去了，只留文若虛在船中看船。路徑不熟，也無走處。

正悶坐間，猛可想起道："我那一簍紅橘，自從到船中，不曾開看，莫不人氣蒸爛了？趁着眾人不在，看看則個。"叫那水手在艙板底下翻將起來，打開了簍看時，面上多是好好的。放心不下，索性搬將出來，都擺在甲板上面。也是合該發跡，時來福湊。擺得滿船紅焰焰的，遠遠望來，就是萬點火光，一天星斗。岸上走的人，都攏將來問道："是甚麼好東西呵？"文若虛只不答應。看見中間有個把一點頭②的，揀了出來，招破就吃。岸上看的一發多了，驚笑道："元來是吃得的！"就中有個好事的，便來問價："多少一個？"文若虛不省得③他們說話，船上人卻曉得，就扯個謊哄他，豎起一個指頭，說："要一錢一顆。"那問的人揭開長衣，露出那兜羅錦紅裹肚來，一手摸出銀錢一個來，道："買一個嘗嘗。"文若虛接了銀錢，手中等等看，約有兩把重。心下想道："不知這些銀子，要買多少，也不見秤秤，

且先把一個與他看樣。"揀個大些的，紅得可愛的，遞一個上去。只見那個人接上手，顛了一顛道："好東西呵！"撲的就劈開來，香氣撲鼻。連旁邊聞着的許多人，大家喝一聲采。那買的不知好歹，看見船上吃法，也學他去了皮，卻不分囊，一塊塞在口裏，甘水滿咽喉，連核都不吐，吞下去了。哈哈大笑道："妙哉！妙哉！"又伸手到裏肚裏，摸出十個銀錢來，說："我要買十個進奉去。"文若虛喜出望外，揀十個與他去了。那看的人見那人如此買去了，也有買一個的，也有買兩個、三個的，都是一般銀錢。買了的，都千歡萬喜去了。

　　元來彼國以銀為錢，上有文采。有等龍鳳紋的，最貴重，其次人物，又次禽獸，又次樹木，最下通用的，是水草：卻都是銀鑄的，分兩不異。適才買橘的，都是一樣水草紋的，他道是把下等錢買了好東西去了，所以歡喜。也只是要小便宜肚腸，與中國人一樣。須臾之間，三停裏賣了二停。有的不帶錢在身邊的，老大懊悔，急忙取了錢轉來。文若虛已此剩不多了，拿一個班[1]道："而今要留着自家用，不賣了。"其人情願再增一個錢，四個錢買了二顆。口中曉曉[2]說："悔氣！來得遲了。"旁邊人見他增了價，就埋怨道："我每還要買個，如何把價錢增長了他的？"買的人道："你不聽得他方才說，兀自不賣了？"

　　正在議論間，只見首先買十個的那一個人，騎了一匹青驄馬，飛也似奔到船邊，下了馬，分開人叢，對船上大喝道："不要零賣！不要零賣！是有的俺多要買。俺家頭目要買去進克汗[3]

---

1 拿一個班：擺架子，裝模做樣。

2 曉曉：亂嚷。

3 克汗：即可汗，當地的國君。

哩。”看的人聽見這話，便遠遠走開，站住了看。文若虛是伶俐的人，看見來勢，已瞧科①在眼裏，曉得是個好主顧了。連忙把簍裏盡數傾出來，止剩五十餘顆。數了一數，又拿起班來說道：“適間講過要留着自用，不得賣了。今肯加些價錢，再讓幾顆去罷。適間已賣出兩個錢一顆了。”其人在馬背上拖下一大囊，摸出錢來，另是一樣樹木紋的，說道“如此錢一個罷了。”文若虛道：“不情願，只照前樣罷了。”那人笑了一笑，又把手去摸出一個龍鳳紋的來道：“這樣的一個如何？”文若虛又道：“不情願，只要前樣的。”那人又笑道：“此錢一個抵百個，料也沒得與你，只是與你耍。你不要俺這一個，卻要那等的，是個傻子！你那東西，肯都與俺了，俺再加你一個那等的，也不打緊。”文若虛數了一數，有五十二顆，準準的要了他一百五十六個水草銀錢。那人連竹簍都要了，又丟了一個錢，把簍拴在馬上，笑吟吟地一鞭去了。看的人見沒得賣了，一哄而散。

文若虛見人散了，到艙裏把一個錢秤一秤，有八錢七分多重。秤過數個都是一般。總數一數，共有一千個差不多。把兩個賞了船家，其餘收拾在包裏了。笑一聲道：“那盲子好靈卦也！”歡喜不盡，只等同船人來對他說笑則個。

說話的，你說錯了！那國裏銀子這樣不值錢，如此做買賣，那久慣漂洋的帶去多是綾羅緞匹，何不多賣了些銀錢回來，一發百倍了？看官有所不知：那國裏見了綾羅等物，都是以貨交兌。我這裏人也只是要他貨物，才有利錢，若是賣他銀錢時，他都把龍鳳、人物的來交易，作了好價錢，分兩也只得如此，反不便

---

1 瞧科：即瞧的意思。

宜。如今是買吃口東西，他只認做把低錢交易，我卻只管分兩，所以得利了。說話的，你又說錯了！依你說來，那航海的，何不只買吃口東西，只換他低錢，豈不有利？反着重本錢，置他貨物怎地？看官，又不是這話。也是此人偶然有此橫財，帶去着了手。若是有心第二遭再帶去，三五日不遇巧，等得希爛。那文若虛運未通時賣扇子就是榜樣。扇子還放得起的，尚且如此，何況果品？是這樣執一論不得的。

　　閒話休題。且說眾人領了經紀主人到船發貨，文若虛把上頭事說了一遍。眾人都驚喜道：“造化！造化！我們同來，倒是你沒本錢的先得了手也！”張大便拍手道：“人都道他倒運，而今想是運轉了！”便對文若虛道：“你這些銀錢此間置貨，作價不多。除是轉發在夥伴中，回①他幾百兩中國貨物，上去打換些土產珍奇，帶轉去有大利錢，也強如虛藏此銀錢在身邊，無個用處。”文若虛道：“我是倒運的，將本求財，從無一遭不連本送的。今承諸公挈帶，做此無本錢生意，偶然僥倖一番，真是天大造化了，如何還要生錢，妄想甚麼？萬一如前再做折了，難道再有洞庭紅這樣好賣不成？”眾人多道：“我們用得着的是銀子，有的是貨物。彼此通融，大家有利，有何不可？”文若虛道：“一年吃蛇咬，三年怕草索。說到貨物，我就沒膽氣了。只是守了這些銀錢回去罷。”眾人齊拍手道：“放着幾倍利錢不取，可惜！可惜！”隨同眾人一齊上去，到了店家交貨明白，彼此兌換。約有半月光景，文若虛眼中看過了若干好東好西，他已自志得意滿，不放在心上。

---

1 回：方言，大家勻給他一些貨物。

眾人事體完了，一齊上船，燒了神福，吃了酒，開洋。行了數日，忽然間天變起來。但見：

> 烏雲蔽日，黑浪掀天。蛇龍戲舞起長空，魚鱉驚惶潛水底。艨艟泛泛，只如棲不定的數點寒鴉；島嶼浮浮，便似沒不煞[1]的幾雙水鵝。舟中是方揚的米簁，舷外是正熟的飯鍋。總因風伯太無情，以致篙師多失色。

那船上人見風起了，扯起半帆，不問東西南北，隨風勢漂去。隱隱望見一島，便帶住篷腳，只看着島邊駛來。看看漸近，恰是一個無人的空島。但見：

> 樹木參天，草萊遍地。荒涼徑界，無非些兔跡狐蹤；坦迤土壤，料不是龍潭虎窟。混茫內，未識應歸何國轄；開闢來，不知曾否有人登。

船上人把船後拋了鐵錨，將椿橛泥犁上岸去釘停當了，對艙裏道："且安心坐一坐，候風勢則個。"那文若虛身邊有了銀子，恨不得插翅飛到家裏，巴不得行路，卻如此守風呆坐，心裏焦躁。對眾人道："我且上岸去島上望望則個。"眾人道："一個荒島，有何好看？"文若虛道："總是閑着，何礙？"眾人都被風顛得頭暈，個個是呵欠連天，不肯同去。文若虛便自一個抖

---

1 沒不煞：淹不死。

撒精神，跳上岸來，只因此一去，有分交：千年敗殼精靈顯，一介窮神富貴來。若是說話的同年生，並時長，有個未卜先知的法兒，便雙腳走不動，也扛個拐兒隨他同去一番，也不枉的。

卻說文若虛見眾人不去，偏要發個狠，板藤附葛，直走到島上絕頂。那島也皆不甚高，不費甚大力，只是荒草蔓延，無好路徑。到得上邊打一看時，四望漫漫，身如一葉，不覺淒然吊下淚來。心裏道："想我如此聰明，一生命蹇。家業消亡，剩得隻身，直到海外。雖然僥倖得有千來個銀錢在囊中，知他命裏是我的不是我的？今在絕島中間，未到實地，性命也還是與海龍王合着的哩！"正在感愴，只見望去遠遠草叢中一物突高。移步往前一看，卻是床大一個敗龜殼。大驚道："不信天下有如此大龜！世上人那裏曾看見？說也不信的。我自到海外一番，不曾置得一件海外物事，今我帶了此物去，也是一件希罕的東西，與人看看，省得空口說着，道是蘇州人會調謊。又且一件，鋸將開來，一蓋一板，各置四足，便是兩張床，卻不奇怪！"遂脫下兩隻裹腳①接了，穿在龜殼中間，打個扣兒，拖了便走。

走至船邊，船上人見他這等模樣，都笑道："文先生那裏又跎跑了繂來？"文若虛道："好教列位得知，這就是我海外的貨了。"眾人抬頭一看，卻便似一張無柱有底的硬床。吃驚道："好大龜殼！你拖來何幹？"文若虛道："也是罕見的，帶了他去。"眾人笑道："好貨不置一件，要此何用？"有的道："也有用處。有甚麼天大的疑心事，灼他一卦，只沒有這樣大龜藥。"又有的道："醫家要煎龜膏，拿去打碎了煎起來，也當得

---

1 裹腳：古代沒有襪子，男子也用布包腳。

幾百個小龜殼。"文若虛道："不要管有用沒用，只是希罕，又不費本錢便帶了回去"，當時叫個船上水手，一抬抬下艙來。初時山下空闊，還只如此：艙中看來，一發大了。若不是海船，也着不得這樣狼犺①東西。眾人大家笑了一回，說道："到家時有人問，只說文先生做了偌大的烏龜買賣來了。"文若虛道："不要笑，我好歹有一個用處，決不是棄物。"隨他眾人取笑，文若虛只是得意。取些水來內外洗一洗淨，抹乾了，卻把自己錢包行李都塞在龜殼裏面，兩頭把繩一絆，卻當了一個大皮箱子。自笑道："兀的不眼前就有用處了？"眾人都笑將起來，道："好算計！好算計！文先生到底是個聰明人。"

當夜無詞。次日風息了，開船一走。不數日，又到了一個去處，卻是福建地方了。才住定了船，就有一夥慣伺候接海客的小經紀牙人②，攢將攏來，你說張家好，我說李家好，拉的拉，扯的扯，嚷個不住。船上眾人揀一個一向熟識的跟了去，其餘的也就住了。

眾人到了一個波斯胡大店中坐定。裏面主人見說海客到了，連忙先發銀子，喚廚戶包辦酒席幾十桌。分付停當，然後踱將出來。這主人是個波斯國裏人，姓個古怪姓，是瑪瑙的"瑪"字，叫名瑪寶哈，專一與海客兌換珍寶貨物，不知有多少萬數本錢。眾人走海過的，都是熟主熟客，只有文若虛不曾認得。抬眼看時，元來波斯胡住得在中華久了，衣服言動都與中華不大分別。只是剃眉剪鬚，深眼高鼻，有些古怪。出來見了眾人，行賓主

---

1 狼犺：巨大而笨重的意思。

2 牙人：代銷貨物的人。

禮，坐定了。兩杯茶罷，站起身來，請到一個大廳上。只見酒筵多完備了，且是擺得濟楚[1]。元來舊規，海船一到，主人家先折過這一番款待，然後發貨講價的。主人家手執着一副法浪菊花盤盞，拱一拱手道："請列位貨單一看，好定坐席。"

看官，你道這是何意？元來波斯胡以利為重，只看貨單上有奇珍異寶值得上萬者，就送在先席。餘者看貨輕重，挨次坐去，不論年紀，不論尊卑，一向做下的規矩。船上眾人，貨物貴的賤的，多的少的，你知我知，各自心照，差不多領了酒杯，各自坐了。單單剩得文若虛一個，呆呆站在那裏。主人道："這位老客長不曾會面，想是新出海外的，置貨不多了。"眾人大家說道："這是我們好朋友，到海外耍去的。身邊有銀子，卻不曾肯置貨。今日沒奈何，只得屈他在末席坐了。"文若虛滿面羞慚，坐了末位。主人坐在橫頭。飲酒中間，這一個說道我有貓兒眼多少，那一個說我有祖母綠多少，你誇我逞。文若虛一發默默無言，自心裏也微微有些懊悔道："我前日該聽他們勸，置些貨物來的是。今在有幾百銀子在囊中，說不得一句說話。"又自歎了口氣道："我原是一些本錢沒有的，今已大幸，不可不知足。"自思自忖，無心發興吃酒。眾人卻猜掌行令，吃得狼藉。主人是個積年，看出文若虛不快活的意思來，不好說破，虛勸了他幾杯酒。眾人都起身道："酒勾了，天晚了，趁早上船去，明日發貨罷。"別了主人去了。

主人撤了酒席，收拾睡了。明日起個清早，先走到海岸船邊來拜這夥客人。主人登舟，一眼瞅去，那艙裏狼狼犺犺這件東

---

1 濟楚：整齊潔淨。

西，早先看見了，吃了一驚道："這是那一位客人的寶貨？昨日席上並不曾說起，莫不是不要賣的？"眾人都笑指道："此敝友文兄的寶貨。"中有一人襯道："又是滯貨①。"主人看了文若虛一看，滿面掙得通紅，帶了怒色，埋怨眾人道："我與諸公相處多年，如何恁地作弄我？教我得罪於新客，把一個末座屈了他，是何道理！"一把扯住文若虛，對眾客道："且慢發貨，容我上岸謝過罪着。"眾人不知其故。有幾個與文若虛相知些的，又有幾個喜事的，覺得有些古怪，共十餘人趕了上來，重到店中，看是如何。只見主人拉了文若虛，把交椅整一整，不管眾人好歹，納他頭一位坐下了，道："適間得罪得罪，且請坐一坐。"文若虛也心中糊塗，忖道："不信此物是寶貝，這等造化不成？"

主人走了進去，須臾出來，又拱眾人到先前吃酒去處，又早擺下幾桌酒，為首一桌，比先更齊整。把盞向文若虛一揖，就對眾人道："此公正該坐頭一席。你每枉自一船貨，也還趕他不來。先前失敬失敬。"眾人看見，又好笑，又好怪，半信不信的一帶兒坐下了。酒過三杯，主人就開口道："敢問客長，適間此寶可肯賣否？"文若虛是個乖人，趁口答應道："只要有好價錢，為甚不賣？"那主人聽得肯賣，不覺喜從天降，笑逐顏開，起身道："果然肯賣，但憑分付價錢，不敢吝惜。"文若虛其實不知值多少，討少了，怕不在行；討多了，怕吃笑。忖了一忖，面紅耳熱，顛倒討不出價錢來。張大便與文若虛丟個眼色，將手放在椅子背上，豎着三個指頭，再把第二個指空中一撇，道：

---

1 滯貨：不好出售的滯銷貨。

"索性討他這些。"文若虛搖頭,豎一指道:"這些我還討不出口在這裏。"卻被主人看見道:"果是多少價錢?"張大搗一個鬼道:"依文先生手勢,敢像要一萬哩!"主人呵呵大笑道:"這是不要賣,哄我而已。此等寶物,豈止此價錢!"眾人見說,大家目睜口呆,都立起了身來,扯文若虛去商議道:"造化!造化!想是值得多哩。我們實實不知如何定價,文先生不如開個大口,憑他還罷。"文若虛終是礙口說羞,待說又止。眾人道:"不要不老氣[1]!"主人又催道:"實說說何妨?"文若虛只得討了五萬兩。主人還搖頭道:"罪過,罪過。沒有此話。"扯着張大私問他道:"老客長們海外往來,不是一番了。人都叫你張識貨,豈有不知此物就裏的?必是無心賣他,奚落小肆罷了。"張大道:"實不瞞你說,這個是我的好朋友,同了海外玩耍的,故此不曾置貨。適間此物,乃是避風海島,偶然得來,不是出價置辦的,故此不識得價錢。若果有這五萬與他,勾他富貴一生,他也心滿意足了。"主人道:"如此說,要你做個大大保人,當有重謝,萬萬不可翻悔!"遂叫店小二拿出文房四寶來,主人家將一張供單綿料紙摺了一摺,拿筆遞與張大道:"有煩老客長做主,寫個合同文書,好成交易。"張大指着同來一人道:"此位客人褚中穎,寫得好。"把紙筆讓與他。褚客磨得墨濃,展好紙,提起筆來寫道:

"立合同議單張乘運等,今有蘇州客人文實,海外帶來大龜殼一個,投至波斯瑪寶哈店,願出銀五萬兩買成。議定立契之後,一家交貨,一家交銀,各無翻悔。有翻悔者,罰契上加一。

---

1 不老氣:不好意思,害羞。

合同為照。"

一樣兩紙，後邊寫了年月日，下寫張乘運為頭，一連把在坐客人十來個寫去。褚中穎因自己執筆，寫了落末。年月前邊，空行中間，將兩紙湊着，寫了騎縫一行，兩邊各半乃是"合同議約"四字。下寫"客人文實主人瑪寶哈"，各押了花押。單上有名，從後頭寫起，寫到張乘運道："我們

押字錢重些，這買賣才弄得成。"主人笑道："不敢輕，不敢輕。"

寫畢，主人進內，先將銀一箱抬出來道："我先交明白了用錢①，還有說話。"眾人攢將攏來。主人開箱，卻是五十兩一包，共總二十包，整整一千兩。雙手交與張乘運道："憑老客長收明，分與眾位罷。"眾人初然吃酒。寫合同，大家攪哄鳥亂，心下還有些不信的意思，如今見他拿出精晃晃白銀來做用錢，方知是實。文若虛恰像夢裏醉裏，話都說不出來，呆呆地看。張大扯他一把道："這用錢如何分散，也要文兄主張。"文若虛方說一句道："且完了正事慢處。"只見主人笑嘻嘻的對文若虛說道："有一事要與客長商議：價銀現在裏面閣兒上，都是向來兌

---

① 用錢：古代買賣時交付給中間人或保人的佣金。

過的，一毫不少，只消請客長一兩位進去，將一包過一過目，兌一兌為準，其餘多不消兌得。卻又一說，此銀數不少，搬動也不是一時功夫，況且文客官是個單身，如何好將下船去？又要泛海回還，有許多不便處。"文若虛想了一想道："見教得極是。而今卻待怎樣？"主人道："依着愚見，文客官目下回去未得。小弟此間有一個緞匹舖，有本三千兩在內。其前後大小廳屋樓房，共百餘間，也是個大所在。價值二千兩，離此半里之地。愚見就把本店貨物及房屋文契，作了五千兩，盡行交與文客官，就留文客官在此住下了，做此生意。其銀也做幾遭搬了過去，不知不覺。日後文客官要回去，這裏可以託心腹夥計看守，便可輕身往來。不然小店支出不難，文客官收貯卻難也。愚意如此。"說了一遍，說得文若虛與張大跌足道："果然是客綱客紀[1]，句句有理。"文若虛道："我家裏原無家小，況且家業已盡了，就帶了許多銀子回去，沒處安頓。依了此說，我就在這裏，立起個家緣來，有何不可？此番造化，一緣一會，都是上天作成的，只索隨緣做去。便是貨物房產價錢，未必有五千，總是落得的。"便對主人說："適間所言，誠是萬全之算，小弟無不從命。"

　　主人便領文若虛進去閣上看，又叫張、褚二人："一同去看看。其餘列位不必了，請略坐一坐。"他四人進去。眾人不進去的，個個伸頭縮頸，你三我四說道："有此異事！有此造化！早知這樣，懊悔島邊泊船時節也不去走走，或者還有寶貝，也不見得。"有的道："這是天大的福氣，撞將來的，如何強得？"正欣羨間，文若虛已同張、褚二客出來了。眾人都問："進去如何

---

1 客綱客紀：客，出門人。綱紀：處理的辦法。指常年在外的人處事的經驗和辦法。

了？”張大道：“裏邊高閣，是個土庫，放銀兩的所在，都是桶子盛着。適間進去看了，十個大桶，每桶四千又五個小匣，每個一千，共是四萬五千。已將文兄的封皮記號封好了，只等交了貨，就是文兄的。”主人出來道：“房屋文書、緞匹帳目，俱已在此，湊足五萬之數了。且到船上取貨去。”一擁都到海船來。

文若虛於路對眾人說：“船上人多，切勿明言！小弟自有厚報。”眾人也只怕船上人知道，要分了用錢去，各各心照。文若虛到了船上，先向龜殼中把自己包裹被囊取出了。手摸一摸殼，口裏暗道：“僥倖！僥倖！”主人便叫店內後生二人來抬此殼，分付道：“好生抬進去，不要放在外邊。”船上人見抬了此殼去，便道：“這個滯貨也脫手了，不知賣了多少？”文若虛只不做聲，一手提了包裹，往岸上就走。這起初同上來的幾個，又趕到岸上，將龜殼從頭到尾細看了一遍，又向殼內張了一張，撈了一撈，面面相覷道：“好處在那裏？”

主人仍拉了這十來個一同上去。到店裏，說道：“而今且同文客官看了房屋舖面來。”眾人與主人一同走到一處，正是鬧市中間，一所好大房子。門前正中是個舖子，旁有一弄，走進轉個彎，是兩扇大石板門，門內大天井，上面一所大廳，廳上有一匾，題曰“來琛堂”。堂旁有兩槅側屋，屋內三面有櫥，櫥內都是綾羅各色緞匹。以後內房，樓房甚多。文若虛暗道：“得此為住居，王侯之家不過如此矣。況又有緞舖營生，利息無盡，便做了這裏客人罷了，還思想家裏做甚？”就對主人道：“好卻好，只是小弟是個孤身，畢竟還要尋幾房使喚的人才住得。”主人道：“這個不難，都在小店身上。”

文若虛滿心歡喜，同眾人走歸本店來。主人討茶來吃了，說道：“文客官今晚不消船裏去，就在舖中住下了。使喚的人舖中現有，逐漸再討便是。”眾客人多道：“交易事已成，不必說了。只是我們畢竟有些疑心，此殼有何好處，值價如此？還要主人見教一個明白。”文若虛道：“正是，正是。”主人笑道：“諸公枉了海上走了多遭，這些也不識得！列位豈不聞說龍有九子乎？內有一種是鼉龍，其皮可以幪鼓，聲聞百里，所以謂之鼉鼓。鼉龍萬歲，到底蛻下此殼成龍。此殼有二十四肋，按天上二十四氣，每肋中間節內有大珠一顆。若是肋未完全時節，成不得龍，蛻不得殼。也有生捉得他來，只好將皮幪鼓，其肋中也未有東西。直待二十四肋完全，節節珠滿，然後蛻了此殼變龍而去。故此是天然蛻下，氣候俱到，肋節俱完的，與生擒活捉、壽數未滿的不同，所以有如此之大。這個東西，我們肚中雖曉得，知他幾時蛻下？又在何處地方守得他着？殼不值錢，其珠皆有夜光，乃無價寶也！今天幸遇巧，得之無心耳。”眾人聽罷，似信不信。只見主人走將進去了一會，笑嘻嘻的走出來，袖中取出一西洋布的包來，說道：“請諸公看看。”解開來，只見一團綿裹着寸許大一顆夜明珠，光彩奪目。討個黑漆的盤，放在暗處，其珠滾一個不定，閃閃爍爍，約有尺餘亮處。眾人看了，驚得目睜口呆，伸了舌頭收不進來。主人回身轉來，對眾客逐個致謝道：“多蒙列位作成了。只這一顆，拿到咱國中，就值方才的價錢了；其餘多是尊惠。”眾人個個心驚，卻是說過的話又不好翻悔得。主人見眾人有些變色，取了珠子，急急走到裏邊，又叫抬出一個緞箱來。除了文若虛，每人送與緞子二端①，說道：“煩勞

---

1 二端：兩匹。

了列位，做兩件道袍穿穿，也見小肆中薄意。”袖中摸出細珠十數串，每送一串道：“輕鮮①，輕鮮，備歸途一茶罷了。”文若虛處另是粗些的珠子四串，緞子八匹，道是：“權且做幾件衣服。”文若虛同眾人歡喜作謝了。

主人就同眾人送了文若虛到緞舖中，叫舖裏夥計後生們都來相見，說道：“今番是此位主人了。”主人自別了去，道：“再到小店中去去來。”只見須臾間數十個腳夫拉了好些杠來，把先前文若虛封記的十桶五匣都發來了。文若虛搬在一個深密謹慎的臥房裏頭去處，出來對眾人道：“多承列位挈帶，有此一套意外富貴，感謝不盡。”走進去把自家包裹內所賣洞庭紅的銀錢倒將出來，每人送他十個，止有張大與先前出銀助他的兩三個，分外又是十個。道：“聊表謝意。”

此時文若虛把這些銀錢看得不在眼裏了。眾人卻是快活，稱謝不盡。文若虛又拿出幾十個來，對張大說：“有煩老兄將此分與船上同行的人，每位一個，聊當一茶。小弟在此間，有了頭緒，慢慢到本鄉來。此時不得同行，就此為別了。”張大道：“還有一千兩用錢，未曾分得，卻是如何？須得文兄分開，方沒得說。”文若虛道：“這倒忘了。”就與眾人商議，將一百兩散與船上眾人，餘九百兩照現在人數，另外添出兩股，派了股數，各得一股。張大為頭的，褚中穎執筆的，多分一股。眾人千歡萬喜，沒有說話。內中一人道：“只是便宜了這回回，文先生還該起個風，要他些不敷②才是。”文若虛道：“不要不知足，看我

---

1 輕鮮：謙辭，不成敬意的意思。

2 不敷：不夠，不足。

一個倒運漢，做着便折本的，造化到來，平空地有此一主財爻。可見人生分定，不必強求。我們若非這主人識貨，也只當得廢物罷了。還虧他指點曉得，如何還好昧心爭論？"眾人都道："文先生說得是。存心忠厚，所以該有此富貴。"大家千恩萬謝，各各齎了所得東西，自到船上發貨。

從此，文若虛做了閩中一個富商，就在那裏取了妻小，立起家業。數年之間，才到蘇州走一遭，會會舊相識，依舊去了。至今子孫繁衍，家道殷富不絕。正是：

運退黃金失色，時來頑鐵生輝。
莫與癡人說夢，思量海外尋龜。

串講

本篇其實由兩個各自獨立的故事構成，入話部分寫金老漢一輩子攢下八個銀錠，夜裏卻飛到鄰縣的王家。按照銀錠託夢的指點，金老漢找到了王家，王老漢並不否認自家憑空多了八個銀錠，便酬謝了金老漢幾兩銀子，誰料裝銀錠的袋子破了，金老漢走後，銀錠還是留在了王家。這個小故事想說明的是一個人的命是與生俱來的，不能強求。按照這個觀點，作者衍生出本篇的正文，詮釋了"時來運轉"的真諦。故事寫一個無論做什麼生意都血本無歸的倒楣蛋文若虛，賣扇子偏趕上連天雨，不僅收不回本，還連累了合夥做生意的同伴，於是在當地生意人中得了"倒運漢"的外號。在處處碰壁的情況下，文若虛決定去海外碰碰運氣。靠着朋友資助的一兩銀子，他買了一百多斤在當地不值錢的橘子，本意是想在船上與同伴分而食之，卻遭到大家的嘲笑。經過長途跋涉，他們到達了一個叫吉零國的地方，同伴紛紛上岸銷售帶來的貨物。文若虛沒有什麼貨賣，便將帶來的橘子拿到船甲板，卻不料橘子鮮紅的顏色吸引了岸上人的注意，物以稀為貴，當地人紛紛以高價購買，橘子被一搶而空，他也賺了不少銀子。回航的路上，其他人都買了很多貨物準備回國兜售，文若虛也決定帶點東西回去。路過一個荒島停泊，他上岸閒遊，無意中發現了一個巨大的龜殼，於是拖回了船艙想運回國內做個床板，結果被大家一頓嘲笑。船到福州，大家一同到當地的波斯商店內兜售貨物，按照貨物的好壞，波斯商排下筵席的座次，文若虛因為什麼都沒有被排在最後，自己懊悔沒有買回像樣的貨物。第二天，波斯商來船上看望大家，無意中發現了船上的大龜殼，驚喜萬分要出大價錢買下來，並責怪眾人沒有說明白，讓自己怠慢了貴客。於是，本來是無人問津的龜殼成了巨寶，沒人搭理的文若虛被眾星捧月般奉為座上客。波斯鉅賈讓文若虛出價，文若虛大着膽子說賣一萬，孰料波斯商憤怒的認為是耍弄他，認為這寶物遠遠高於這個數。於是，文若虛將價格抬到五萬兩銀子，波斯商歡天喜地接受，還認為自己是佔了天大的便宜，忙將四萬五千兩銀子交到他的手中，同時抵給他一間商舖。直到白花花的銀子到手，大家才明白這原來不是開玩笑。波斯商最後揭開了奧秘，原來，這龜殼是一種龍的殼，骨節內有二十四顆無價的夜明珠，每一顆都值五萬兩銀子。就這樣，文若虛這個被人嘲笑為轉運漢的商人，無意中卻成就了商業的神話，成為當地巨富。

評析

　　看完這個故事，所有讀者都會產生"天上掉餡餅"的感覺，覺得文若虛簡直是幸運之極。故事很荒誕，全憑作者的刻意造奇、精心構思吸引讀者，但是異想天開卻正是本篇最大的成功之處。如果把故事平鋪直敘的話，就是一個商人出外經商發了大財，這樣的事情每天都在發生。但是，加入了荒誕的情節後，故事就顯得波瀾起伏，一個驚奇連着一個驚奇。先是寫盡了文若虛的倒楣，被逼之下遠走海外碰運氣。第一次情節奇峰突起，寫他靠賣橘子無意

中發了筆小財已屬意外，接着拉回一個破龜殼卻讓人大跌眼鏡。回到福州，波斯鉅賈的筵席上，他仍是一個小商人，看來沒什麼故事了。不料，波斯商看到龜殼後，文若虛再次被推到故事的巔峰，他的破龜殼竟成了無價之寶，他也因此最終發了大財。作者採用先抑後揚的寫法，沒錢時的文若虛受盡嘲笑，發財後卻高居上座，受人尊敬，通過前後對比寫出了人世的世態炎涼、人情冷暖。採用平淡中出奇的寫法，橘子在外國價值千金、龜殼有床大並且是無價之寶，這都是生活中不可想像的事情，從而使平淡的故事充滿傳奇色彩，不過，作者在編寫這個故事時，定下的思想基調是"人生分定，不必強求"，因此，為了起到說教的效果，不時在故事發展過程中刻意描寫文若虛顯出一種淡泊財物的心態，強調發財已經是造化，數量多少已經不重要，顯示出作者的宿命觀，從而使這個故事出現一些不和諧的音符，

影響了藝術效果。此外，在這個故事中我們可以看到明代商業是何等的發達，商人不僅成為被謳歌的主角，而且是社會崇拜的對象，這是以往文學作品從來沒有的。在唐代傳奇中的那些公子哥兒們進入市井社會被視為墮落，淪落江湖就是一場劫難；而在《拍案驚奇》的故事中，所表現出的則是對外出闖江湖、冒險投機的嚮往。文若虛是個對生意一竅不通的花花公子，但他卻也把幸福的期待放在外出冒險上。他投機失敗並不表明他做錯了，故事中告訴人們，闖得越大越有大運。文若虛在中國發不了財，出國下南洋卻發了大財。風波險惡的江湖成了生活在商業城市中的小市民們追求幸福的夢中樂園。

劉東山誇技順城門　十八兄奇蹤村酒肆

詩云：

> 弱為強所制，不在形巨細。
> 蝍蛆帶是甘，何曾有長喙？

　　話說天地間，有一物必有一制，誇不得高，恃不得強。這首詩所言"蝍蛆"是甚麼？就是那赤足蜈蚣，俗名"百腳"，又名百足之蟲。這"帶"又是甚麼？是那大蛇。其形似帶一般，故此得名。嶺南多大蛇，長數十丈，專要害人。那邊地方裏居民，家家蓄養蜈蚣，有長尺餘者，多放在枕畔或枕中。若有蛇至，蜈蚣便噴噴作聲。放他出來，他鞠起腰來，首尾着力，一跳有一丈來高，便搭住在大蛇七寸內，用那鐵鈎也似一對鉗來鉗住了，吸他精血，至死方休。這數十丈長、斗來大的東西，反纏死在尺把長、指頭大的東西手裏，所以古語道"蝍蛆甘帶"[1]，蓋謂此也。

　　漢武帝延和三年，西胡月支國獻猛獸一頭，形如五六十日新生的小狗，不過比貍貓般大，拖一個黃尾兒。那國使抱在手裏，進門來獻。武帝見他生得猥瑣，笑道："此小物何謂猛獸？"使者對曰："夫威加於百禽者，不必計其大小。是以神麟為巨象之王，鳳凰為大鵬之宗，亦不在巨細也。"武帝不信，乃對使者說："試叫他發聲來朕聽。"使者乃將手一指，此獸舐唇搖首一

_____

1 蝍蛆甘帶：語出《莊子·齊物論》，意思是蜈蚣鉗住了長蛇。

會，猛發一聲，便如平地上起一個霹靂，兩目閃爍，放出兩道電光來。武帝登時顛出兀金椅子，急掩兩耳，顫一個不住。侍立左右及羽林擺立仗下軍士，手中所拿的東西悉皆震落。武帝不悅，即傳旨意，教把此獸付上林苑①中，待群虎食之。上林苑令遵旨。只見拿到虎圈邊放下，群虎一見，皆縮做一堆，雙膝跪倒。上林苑令奏聞，武帝愈怒，要殺此獸。明日連使者與猛獸皆不見了。猛悍到了虎豹，卻乃怕此小物。所以人之膂力強弱，智術長短，沒個限數。正是：強中更有強中手，莫向人前誇大口。

　　唐時有一個舉子，不記姓名地方。他生得膂力過人，武藝出眾。一生豪俠好義，真正路見不平，拔刀相助。他進京會試，不帶僕從，恃着一身本事，鞴②着一匹好馬，腰束弓箭短劍，一鞭獨行。一路收拾些雉兔野味，到店肆中宿歇，便安排下酒。

　　一日在山東路上，馬跑得快了，趕過了宿頭。至一村莊，天已昏黑，自度不可前進。只見一家人家開門在那裏，燈光射將出來。舉子下了馬，一手牽着，挨近看時，只見進了門，便是一大空地，空地上有三四塊太湖石疊着。正中有三間正房，有兩間廂房，一老婆子坐在中間績麻③。聽見庭中馬足之聲，起身來問。舉子高聲道：“媽媽，小生是失路借宿的。”那老婆子道：“官人，不方便，老身做不得主。”聽他言詞中間，帶些凄慘。舉子有些疑心，便問道：“媽媽，你家男人多在那裏去了？如何獨自一個在這裏？”老婆子道：“老身是個老寡婦，夫亡多年，只有

---

1 上林苑：秦代的皇家園林，漢武帝劉徹又進行了擴建。

2 鞴（bèi）：指對馬進行裝備。

3 績麻：把麻繩披開搓成線。

一子，在外做商人去了。"舉子道："可有媳婦？"老婆子蹙着眉頭道："是有一個媳婦，賽得過男子，盡掙得家住。只是一身大氣力，雄悍異常。且是氣性粗急，一句差池，經不得一指頭，擦着便倒。老身虛心冷氣，看他眉頭眼後，常是不中意，受他淩辱的。所以官人借宿，老身不敢做主。"說罷，淚如雨下。舉子聽得，不覺雙眉倒豎，兩眼圓睜道："天下有如此不平之事！惡婦何在？我為爾除之。"遂把馬拴在庭中太湖石上了，拔出劍來。老婆子道："官人不要太歲頭上動土，我媳婦不是好惹的。他不習女工針指，每日午飯已畢，便空身走去山裏尋幾個獐鹿獸兔還家，醃臘起來，賣與客人，得幾貫錢。常是一二更天氣才得回來。日逐用度①，只靠着他這些，所以老身不敢逆他。"舉子按下劍入了鞘，道："我生平專一欺硬怕軟，替人出力。諒一個婦女，到得那裏？既是媽媽靠他度日，我饒他性命不殺他，只痛打他一頓，教訓他一番，使他改過性子便了。"老婆子道："他將次②回來了，只勸官人莫惹事的好。"舉子氣忿忿地等着。

只見門外一大黑影，一個人走將進來，將肩上叉口③也似一件東西往庭中一捧，叫道："老孃，快拿火來，收拾行貨。"老婆子戰兢兢地道："是甚好物事呵？"把燈一照，吃了一驚，乃是一隻死了的斑斕猛虎。說時遲，那時快，那舉子的馬在火光裏，看見了死虎，驚跳不住起來。那人看見，便道："此馬何來？"舉子暗裏看時，卻是一個黑長婦人。見他模樣，又揹了個

---

1 日逐用度：指日常開銷。

2 將次：將要。

3 叉口：口袋。

死虎來，忖道："也是個有本事的。"心裏先有幾分懼他。忙走去帶開了馬，縛住了，走向前道："小生是失路的舉子，趕過宿頭，幸到寶莊，見門尚未闔，斗膽求借一宿。"那婦人笑道："老孃好不曉事！既是個貴人，如何更深時候，叫他在露天立着？"指着死虎道："賤婢今日山中，遇此潑花團①，爭持多時，才得了當。歸得遲些個，有失主人之禮，貴人勿罪。"舉子見他語言爽愷，禮度周全，暗想道："也不是不可化誨②的。"連應道："不敢，不敢。"婦人走進堂，提一把椅來，對舉子道："該請進堂裏坐，只是婦姑兩人，都是女流，男女不可相混，屈在廊下一坐罷。"又掇張桌來，放在面前，點個燈來安下。然後下庭中來，雙手提了死虎，到廚下去了。須臾之間，燙了一壺熱酒，托出一個大盤來，內有熱騰騰的一盤虎肉，一盤鹿脯，又有些醃臘雉兔之類五六碟，道："貴人休嫌輕褻則個。"舉子見他殷勤，接了自斟自飲。須臾間酒盡餚完，舉子拱手道："多謝厚款。"那婦人道："惶愧。"便將了盤來收拾桌上碗盞。

舉子乘間便說道："看娘子如此英雄，舉止恁地賢明，怎麼尊卑分上覺得欠些個？"那婦人將盤一搠③，且不收拾，怒目道："適間老死魅曾對貴人說些甚謊麼？"舉子忙道："這是不曾，只是看見娘子稱呼詞色之間，甚覺輕倨，不像個婆媳婦道理。及見娘子待客周全，才能出眾，又不像個不近道理的，故此好言相問一聲。"那婦人見說，一把扯了舉子的衣袂，一隻手移

---

1 潑花團：混帳東西，指老虎。

2 化誨：感化。

3 搠：用力一摔。

着燈，走到太湖石邊來道："正好告訴一番。"舉子一時間掙扎不脱，暗道："等他説得沒理時，算計打他一頓。"只見那婦人倚着太湖石，就在石上拍拍手道："前日有一事，如此如此，這般這般，是我不是，是他不是？"道罷，便把一個食指向石上一劃道："這是一件了。"劃了一劃，只見那石皮亂爆起來，已自摳去了一寸有餘深。連連數了三件，劃了三劃，那太湖石便似錐子鑿成一個"川"字，斜看來又是"三"字，足足皆有寸餘，就像鑱刻的一般。那舉子驚得渾身汗出，滿面通紅，連聲道："都是娘子的是。"把一片要與他分個皂白的雄心，好像一桶雪水當頭一淋，氣也不敢抖了。婦人説罷，擎出一張匡床①來與舉子自睡，又替他餵好了馬。卻走進去與老婆子關了門，息了火睡了。舉子一夜無眠，歎道："天下有這等大力的人！早是不曾與他交手，不然，性命休矣。"巴到天明，備了馬，作謝了，再不説一句別的話，悄然去了。自後收拾了好些威風，再也不去惹閒事管，也只是怕逢着車遮②似他的吃了虧。

今日説一個恃本事説大話的，吃了好些驚恐，惹出一場話柄來。正是：

虎為百獸尊，百獸伏不動。
若逢獅子吼，虎又全沒用。

話説國朝嘉靖年間，北直隸河間府交河縣一人姓劉名嶔，叫

---

1 匡床：同筐床，用繩子編製的簡易床。
2 車遮：厲害。

做劉東山，在北京巡捕衙門裏當一個緝捕軍校的頭。此人有一身好本事，弓馬熟嫻，發矢再無空落，人號他連珠箭。隨你異常狠盜，逢着他便如甕中捉鱉，手到拿來。因此也積攢得有些家事[1]。年三十餘，覺得心裏不耐煩做此道路，告脫了，在本縣去別尋生理。

一日，冬底殘年，趕着驢馬十餘頭到京師轉賣，約賣得一百多兩銀子。交易完了，至順城門（即宣武門）僱騾歸家。在騾馬主人店中，遇見一個鄰舍張二郎入京來，同在店買飯吃。二郎問道：“東山何往？”東山把前事說了一遍，道：“而今在此僱騾，今日宿了，明日走路。”二郎道：“近日路上好生難行，良鄉、鄚州一帶，盜賊出沒，白日劫人。老兄帶了偌多銀子，沒個做伴，獨來獨往，只怕着了道兒，須放仔細些！”東山聽罷，不覺鬚眉開動，唇齒奮揚。把兩隻手捏了拳頭，做一個開弓的手勢，哈哈大笑道：“二十年間，張弓追討，矢無虛發，不曾撞個對手。今番收場買賣，定不到得折本。”店中滿座聽見他高聲大喊，盡回頭來看。也有問他姓名的，道：“久仰，久仰。”二郎自覺有些失言，作別出店去了。

東山睡到五更頭，爬起來，梳洗結束。將銀子緊縛裹肚內，紮在腰間，肩上掛一張弓，衣外跨一把刀，兩膝下藏矢二十簇。揀一個高大的健騾，騰地騎上，一鞭前走。走了三四十里，來到良鄉，只見後頭有一人奔馬趕來，遇着東山的騾，便按轡少駐。東山舉目覷他，卻是一個二十歲左右的美少年，且是打扮得好。但見：

---

1 家事：家產。

黃衫氈笠，短劍長弓。箭房中新矢二十餘枝，馬頷上紅纓一大簇。裹腹鬧裝①燦爛，是個白面郎君；恨人緊轡噴嘶，好匹高頭駿騎！

東山正在顧盼之際，那少年遙叫道："我們一起走路則個。"就向東山拱手道："造次行途，願問高姓大名。"東山答應"小可姓劉名欽，別號東山，人只叫我是劉東山。"少年道："久仰先輩大名，如雷貫耳，小人有幸相遇。今先輩欲何往？"東山道："小可要回本籍交河縣去。"少年道："恰好，恰好。小人家住臨淄，也是舊族子弟，幼年頗曾讀書，只因性好弓馬，把書本丟了。三年前帶了些資本往京貿易，頗得些利息。今欲歸家婚娶，正好與先輩作伴同路行去，放膽壯些。直到河間府城，然後分路。有幸，有幸。"東山一路看他腰間沉重，語言溫謹，相貌俊逸，身材小巧，諒道不是歹人。且路上有伴，不至寂寞，心上也歡喜，道："當得相陪。"是夜一同下了旅店，同一處飲食歇宿，如兄若弟，甚是相得。

明日，並轡出汀州。少年在馬上問道："久聞先輩最善捕賊，一生捕得多少？也曾撞着好漢否？"東山正要誇逞自家手段，這一問揉着癢處，且量他年小可欺，便侈口②道："小可生平兩隻手一張弓，拿盡綠林中人，也不記其數，並無一個對手。這些鼠輩，何足道哉！而今中年心懶，故棄此道路。倘若前途撞着，便中拿個把兒你看手段！"少年但微微冷笑道："元來如此。"就馬上

---

1 鬧裝：珠寶鑲嵌的腰帶。

2 侈口：吹牛。

伸手過來，說道："借肩上寶弓一看。"東山在騾上遞將過來，少年左手把住，右手輕輕一拽就滿，連放連拽，就如一條軟絹帶。東山大驚失色，也借少年的弓過來看。看那少年的弓，約有二十斤重，東山用盡平生之力，面紅耳赤，不要說扯滿，只求如初八夜頭的月①，再不能勾。東山惶恐無地，吐舌道："使得好硬弓

也！"便向少年道："老弟神力，何至於此！非某所敢望也。"少年道："小人之力，何足稱神？先輩弓自太軟耳。"東山讚歎再三，少年極意謙謹。晚上又同宿了。

至明日又同行，日西時過雄縣。少年拍一拍馬，那馬騰雲也似前面去了。東山望去，不見了少年。他是賊窠中弄老了的，見此行止，如何不慌？私自道："天教我這番倒了架②！倘是個不良人，這樣神力，如何敵得？勢無生理。"心上正如十五個吊桶打水，七上八落的。沒奈何，迤迤③行去。行得一二舖④，遙望見

---

1 初八夜頭的月：半圓的月亮。此處指少年的強弓劉東山只能拉個半圓。

2 倒了架：丟了面子。

3 迤迤：心中害怕停滯不前的樣子。

4 一二舖：一二十里。從前每隔十里設一舖，以便傳遞公文。

少年在百步外，正弓挾矢，扯個滿月，向東山道：“久聞足下手中無敵，今日請先聽箭風。”言未罷，颼的一聲，東山左右耳根但聞蕭蕭如小鳥前後飛過，只不傷着東山。又將一箭引滿，正對東山之面，大笑道：“東山曉事人，腰間驟馬錢快送我罷，休得動手。”東山料是敵他不過，先自慌了手腳，只得跳下鞍來，解了腰間所繫銀袋，雙手捧着，膝行至少年馬前，叩頭道：“銀錢謹奉好漢將去，只求饒命！”少年馬上伸手提了銀包，大喝道：“要你性命做甚？快走！快走！你老子有事在此，不得同兒子前行了。”掇轉馬頭，向北一道煙跑，但見一路黃塵滾滾，霎時不見蹤影。

東山呆了半晌，捶胸跌足起來道：“銀錢失去也罷，叫我如何做人？一生好漢名頭，到今日弄壞，真是張天師吃鬼迷了[1]。可恨！可恨！”垂頭喪氣，有一步沒一步的，空手歸交河。到了家裏，與妻子說知其事，大家懊惱一番。夫妻兩個商量，收拾些本錢，在村郊開個酒舖，賣酒營生，再不去張弓挾矢了。又怕有人知道，壞了名頭，也不敢向人說着這事，只索罷了。

過了三年，一日，正值寒冬天道，有詞為證：

> 霜瓦鴛鴦，風簾翡翠，今年早是寒少。矮釘明窗，側開朱戶，斷莫亂教人到。重陰未解，雲共雪商量不少。青帳垂氍要密，紅幕放圍宜小。
>
> （調寄《天香前》）

---

1 張天師吃鬼迷：傳說張天師善於治鬼。這裏指出乎意料的失敗。

卻說冬日間，東山夫妻正在店中賣酒，只見門前來了一夥騎馬的客人，共是十一個。個個騎的是自備的高頭駿馬，鞍轡鮮明。身上俱緊束短衣，腰帶弓矢刀劍。次第下了馬，走入肆中來，解了鞍韉。劉東山接着，替他趕馬歸槽。後生自去鍘草煮豆，不在話下。內中只有一個未冠的人，年紀可有十五六歲，身長八尺，獨不下馬，對眾道：「弟十八自向對門住休。」眾人都答應一聲道：「咱們在此少住，便來伏侍。」只見其人自走對門去了。

十人自來吃酒，主人安排些雞、豚、牛、羊肉來做下酒。須臾之間，狼饗虎咽，算來吃勾有六七十斤的肉，傾盡了六七壜的酒，又教主人將酒餚送過對門樓上，與那未冠的人吃。眾人吃完了店中東西，還叫未暢，遂開皮囊，取出鹿蹄、野雉、燒兔等物，笑道：「這是我們的樂道，可叫主人來同酌。」東山推遜一回，才來坐下。把眼去逐個瞧了一瞧，瞧到北面左手那一人，氈笠兒垂下，遮着臉不甚分明。猛見他抬起頭來，東山仔細一看，嚇得魂不附體，只叫得苦。你道那人是誰？正是在雄縣劫了騾馬錢去的那一個同行少年。東山暗想道：「這番卻是死也！我些些生計，怎禁得他要起？況且前日一人尚不敢敵，今人多如此，想必個個是一般英雄，如何是了？」心中忐忑的跳，真如小鹿兒撞，面向酒杯，不敢則一聲。眾人多起身與主人勸酒。坐定一會，只見北面左手坐的那一個少年把頭上氈笠一掀，呼主人道：「東山別來無恙麼？往昔承契同行周旋，至今想念。」東山面如土色，不覺雙膝跪下道：「望好漢恕罪！」少年跳離席間，也跪下去，扶起來挽了他手道：「快莫要作此狀！快莫要作此狀！羞死人。昔年俺們眾兄弟在順城門店中，聞卿自誇手段天下無敵。

眾人不平，卻教小弟在途間作此一番輕薄事，與卿作耍，取笑一回。然負卿之約，不到得河間。魂夢之間，還記得與卿並轡任丘道上。感卿好情，今當還卿十倍。"言畢，即向囊中取出千金，放在案上，向東山道："聊當別來一敬，快請收進。"東山如醉如夢，呆了一晌，怕又是取笑，一時不敢應

承。那少年見他遲疑，拍手道："大丈夫豈有欺人的事？東山也是個好漢，直如此膽氣虛怯！難道我們弟兄直到得真個取你的銀子不成？快收了去。"劉東山見他說話說得慷慨，料不是假，方才如醉初醒，如夢方覺，不敢推辭。走進去與妻子說了，就叫他出來同收拾了進去。

安頓已了，兩人商議道："如此豪傑，如此恩德，不可輕慢。我們再須殺牲開酒，索性留他們過宿頑耍幾日則個。"東山出來稱謝，就把此意與少年說了，少年又與眾人說了。大家道："即是這位弟兄故人，有何不可？只是還要去請問十八兄一聲。"便一齊走過對門，與未冠的那一個說話。東山也隨了去看，這些人見了那個未冠的，甚是恭謹。那未冠的待他眾人甚是莊重。眾人把主人要留他們過宿頑耍的話說了，未冠的說道："好，好，不妨。只是酒醉飯飽，不要貪睡，負了主人殷勤之心。少有動

靜，俺腰間兩刀有血吃了。"眾人齊聲道："弟兄們理會得。"東山一發莫測其意。眾人重到肆中，開懷再飲，又攜酒到對門樓上。眾人不敢陪，只是十八兄自飲。算來他一個吃的酒肉，比得店中五個人。十八兄吃闌①，自探囊中取出一個純銀笊籬來，煽起炭火做煎餅自啖②。連啖了百餘個，收拾了，大踏步出門去，不知所向。直到天色將晚，方才回來，重到對門住下，竟不到劉東山家來。眾人自在東山家吃耍。走去對門相見，十八兄也不甚與他們言笑，大是倨傲。

東山疑心不已，背地扯了那同行少年問他道："你們這個十八兄，是何等人？"少年不答應，反去與眾人說了，各各大笑起來。不說來歷，但高聲吟詩曰："楊柳桃花相間出，不知若個是春風？"吟畢，又大笑。住了三日，俱各作別了，結束③上馬。未冠的在前，其餘眾人在後，一擁而去。東山到底不明白，卻是驟得了千來兩銀子，手頭從容，又怕生出別事來，搬在城內，另做營運去了。後來見人說起此事，有識得的道："詳他兩句語意，是個'李'字；況且又稱十八兄，想必未冠的那人姓李，是個為頭的了。看他對眾的說話，他恐防有人暗算，故在對門，兩處住了，好相照察。亦且不與十人作伴同食，有個尊卑的意思。夜間獨出，想又去做甚麼勾當來，卻也沒處查他的確。"

那劉東山一生英雄，遇此一番，過後再不敢說一句武藝上頭的話，棄弓折箭，只是守着本分營生度日，後來善終。可見人生

---

1 闌：將盡。

2 啖：吃掉。

3 結束：裝扮，打扮。

一世，再不可自恃高強。那自恃的，只是不曾逢着狠主子哩。有詩單說這劉東山道：

> 生平得盡弓矢力，直到下場逢大敵。
> 人世休誇手段高，霸王也有悲歌日。

又有詩說這少年道：

> 英雄從古輕一擲，盜亦有道真堪述。
> 笑取千金償百金，途中竟是好相識。

串講

故事開篇講述的是一個自認為武藝高強的書生，一天借宿山村，看到老人面帶憂鬱，經詢問才知道是兒媳不肖，經常怠慢老人。於是書生決定替老人出頭，教訓這個有些蠻力的媳婦。天黑後，大門洞開，一個魁梧的壯婦扛着一隻死老虎回來，聲勢上已經把躍躍欲試的書生鎮住。看到有客人，壯婦熱情招待，書生於是壯着膽子責問，不料這女人大怒，拉着書生到湖邊的大石上，每說一事用手指在大石上劃下一道讓書生評理，三道深痕出現後，書生再不敢出聲，第二天一早悄悄離開了。這個小故事之後，開始進入一個神奇絢爛的武俠世界。話說有一個武藝高強的捕快，離職之後決定闖蕩天下。一天，他在順城門遇到熟人，聽別人說起強盜可怕，便哈哈大笑，誇耀自己闖蕩江湖二十年，就沒遇到過對手。酒足飯飽後，他騎着高頭大馬昂首離開，走了不久，一個白衣書生策馬趕上，與他搭話，希望同行。劉東山見他腰纏銀兩，身材瘦削，便大包大攬，自誇自己生平憑着一張弓兩隻手，拿盡天下強盜，語氣中充滿傲氣，視天下英雄如無物。那少年連稱久仰，並借劉東山的弓試了試，誰知看似瘦削的書生很輕鬆就拉開了大弓。劉東山暗自吃驚，便借少年的弓試試，用了吃奶勁才拉開半圓。劉東山頓時心中驚訝，知道對方是個高手。第二天，少年試探完劉東山的底細拍馬離開，劉東山戰戰兢兢，惟恐少年有意加害。上路不久，那少年在百步外張弓搭箭射出一支響箭，劉東山威風全無，在要錢的命令下，把全部錢財交出後狼狽逃走，回家與妻子開了家酒店，再也不問江湖之事。三年後的一個冬天，酒店裏來了十幾位客人，為首的竟然是一個十五六歲的少年，獨自到對門坐下。他們這些客人掛弓挎劍，自帶了很多野味讓劉東山作菜，大口喝酒，大塊吃肉，豪氣沖天。劉東山仔細打量，其中竟有三年前劫走他錢財的少年，頓時心驚肉跳，惟恐自己遭殃，於是假裝沒看見，希望他們趕快離開。誰知道那少年也認出了劉東山，並且直呼其名，雖然他態度和藹，也把劉東山嚇得面無人色，雙膝跪倒連聲求饒。少年連忙將他扶起，說起當年也是因為劉東山口氣太狂自己才略做懲戒，並且拿出千金償還劉東山。劉東山感激涕零，便邀請眾人多留兩日以讓他好好招待。眾人商議後便向那十五六歲的少年請示，那少年表示同意。但警告他們不要鬧事，否則他不客氣。眾人把酒重開宴，之後又到對面陪那十八兄吃飯，十八兄一個人的食量抵得上他們五個人，吃飽後大踏步出門，直到很晚才回來。看到十八兄年紀如此小卻領袖群雄，劉東山心服口服，從此更守本分，再也不敢舞刀弄棒，最後得了善終。

評析

這是中國早期充滿奇幻色彩的武俠小說，雖然小說目的是想說明做人不能自視高強，要知道山外有山，人外有人。但是，除了劉東山的自賣自誇、目中無人採用了寫實手法外，開始時白衣少年的來去如風、舉重若輕，三年後群雄豪氣干雲、氣吞山河，特別是年方十五六歲的十八兒高深莫測、獨佔風騷，都寫得神龍見首不見尾，充滿了浪漫奇幻的色彩，可以說是古代武林高手的展示。但是，故事並不是描寫俠士們的快意恩仇、金戈鐵馬，而是要說明人生一世要謙虛做人。本篇故事的寫法很有特色，首先是善用伏筆。故事開篇寫劉東山如何武藝高強，先後兩次誇下海口，一次是在順城門外酒店中，號稱自己二十年沒遇到對手。一次是在與白馬少年同行的路上，在他面前誇口。這麼狂妄囂張，接下來就該是遭報應了。但是，作者沒有這麼做，而是先設伏筆，款款道來。劉東山第一次誇口時，人家勸他收斂些，否則會着了道，他毫不在意，果然白衣少年找上門，假裝與他同行，結果通過攀談和拉弓，摸清了他的斤兩。攔路索財，箭指東山，於是東山果然着了道，從此隱姓埋名。按道理，故事到此應該結束了，但是，作者又埋下了兩處伏筆，一是劉東山猜測少年不是壞人，二是交代他開酒店為生，這些都為三年後的故事做了鋪墊，和他開酒店對應，三年後一群客人來店吃飯，其中赫然有那劫財的少年。與他猜測那少年不是壞人相對照，那少年竟然下跪道歉，說明當年只是看不慣他的囂張才開了個玩笑。並且以千金相贈。在這段高潮中，作者又埋下了伏筆，叫讀者自己揣測。如那十八兒的身份、他獨自一人出外做什麼，都讓人浮想聯翩，讓故事充滿餘味。本篇另一大特色是採用先揚後抑、前後對比的寫法，不僅塑造了劉東山、白衣少年、十八兒三個個性鮮明的人物，而且推動了故事情節的發展，形成了幾個高潮。開篇極盡渲染劉東山如何了得，通過他自己的兩次吹噓，把一個囂張的人物形象烘托出來。正是他的囂張引出了白衣少年。白衣少年顯得弱不禁風，誰知通過拉強弓、劫道等動作和語言，顯示出這才是真正的高手，而劉東山此時顯得十分膽怯委瑣，已不是自己口中的英雄好漢，而是為求活命的普通人，這段形成了故事的第一個高潮。三年後，偶遇酒店，劉東山被認出後，嚇得跪倒在地，這少年與劉東山盡釋前嫌，形成第二個高潮。接着故事的高潮圍繞着十八兒進行，像白衣少年這樣的高手，現在卻是在一個更年輕的十八兒的統領下，這十八兒特立獨行，自己獨坐，一個人的食量抵得上五個人，而且表現出與他年齡不對稱的成熟，當眾人向他請示能否應邀留下時，他所說"只是酒醉飯飽，不要貪睡，負了主人殷勤之心；少有動靜，俺腰間兩刀有血吃了。"幾句話不怒自威，襯托出一位少年英雄的形象。同時我們注意到，作者為表現強中更有強中手的主題，明顯有年齡差異，劉東山三十幾歲，少年二十幾歲，十八兒只有十五六歲，寫出了長江後浪推前浪的意味。與年齡的差異相比，反而是越年輕的身手越強，態度越謙虛。這些都不能不讓人發出山外有山、人外有人的感慨。

宣徽院仕女鞦韆會　清安寺夫婦笑啼緣

詩曰：

> 聞說氤氳使，專司夙世緣。
> 豈徒生作合，慣令死重還。
> 順局不成幻，逆施方見權。
> 小兒稱造化，於此信其然。

話說人世婚姻前定，難以強求，不該是姻緣的，隨你用盡機謀，壞盡心術，到底沒收場。及至該是姻緣的，雖是被人扳障[1]，受人離間，卻又散的弄出合來，死的弄出活來。從來傳奇小說上邊，如《倩女離魂》，活的弄出魂去，成了夫妻。如《崔護渴漿》，死的弄轉魂來，成了夫妻。奇奇怪怪，難以盡述。

只如《太平廣記》上邊說，有一個劉氏子，少年任俠，膽氣過人，好的是張弓挾矢、馳馬試劍、飛觴蹴鞠[2]諸事。交遊的人，總是些劍客、博徒、殺人不償命的無賴子弟。一日遊楚中，那楚俗習尚，正與相合。就有那一班兒意氣相投的人，成群聚黨，如兄若弟往來。有人對他說道：“鄰人王氏女，美貌當今無比。”劉氏子就央座中人為媒去求聘他。那王家道：“雖然此人少年英勇，卻聞得行徑古怪，有些不務實，恐怕後來惹出事端，誤了女兒終身。”堅執不肯。那女兒久聞得此人英風義氣，到有

---

1 扳障：阻礙，設置障礙。
2 蹴鞠：踢球。

幾分慕他，只礙着爹娘做主，無可奈何。那媒人回復了劉氏子，劉氏子是個猛烈漢子，道："不肯便罷，大丈夫怕沒有好妻！愁他則甚？"一些不放在心上。

又到別處閒遊了幾年。其間也就說過幾家親事，高不湊，低不就，一家也不曾成得，仍舊到楚中來。那鄰人王氏女雖然未嫁，已許下人了。劉氏子聞知也不在心上。這些舊時朋友見劉氏子來了，都來訪他，仍舊聯肩疊背，日裏合圍打獵，獵得些獐鹿雉兔，晚間就烹炮起來，成群飲酒，沒有三四鼓不肯休歇。

一日打獵歸來，在郭外十餘里一個村子裏，下馬少憩。只見樹木陰慘，境界荒涼，有六七個墳堆，多是雨淋泥落，屍棺半露，也有棺木毀壞，屍骸盡見的。眾人看了道："此等地面，虧是日間，若是夜晚獨行，豈不怕人！"劉氏子道："大丈夫神欽鬼伏，就是黑夜，有何怕懼？你看我今日夜間，偏要到此處走一遭。"眾人道："劉兄雖然有膽氣，怕不能如此。"劉氏子道："你看我今夜便是。"眾人道："以何物為信？"劉氏子就在古墓上取墓磚一塊，題起筆來，把同來眾人名字多寫在上面，說道："我今帶了此磚去，到夜間我獨自送將來。"指着一個棺木道："放在此棺上，明日來看便是。我送不來，我輸東道，請你眾位；我送了來，你眾位輸東道，請我。見放着磚上名字，挨名派分，不怕少了一個。"眾人都笑道："使得，使得。"說罷，只聽得天上隱隱雷響，一齊上馬回到劉氏子下處。又將射獵所得，烹宰飲酒。

霎時間雷雨大作，幾個霹靂，震得屋宇都是動的。眾人戲劉氏子道："劉兄，日間所言，此時怕鐵好漢也不敢去。"劉氏子道："說那裏話？你看我雨略住就走。"果然陣頭過，雨小了，劉氏子持了日間墓磚出門就走。眾人都笑道："你看他那裏演帳演帳[1]，回來搗鬼，我們且落得吃酒。"果然劉氏子使着酒性，一口氣走到日間所歇墓邊，笑道："你看這夥懦夫！不知有何懼怕，便道到這裏來不得。"此時雷雨已息，露出星光微明，正要將磚放在棺上，見棺上有一件東西蹲踞在上面。劉氏子摸了一摸道："奇怪！是甚物件？"暗中手撚撚看，卻像是個衣衾之類裏着甚東西。兩手合抱將來，約有七八十斤重。笑道："不拘[2]是甚物件，且等我揹了他去，與他們看看，等他們就曉得，省得直到明日才信。"他自恃膂力，要嚇這班人，便把磚放了，一手拖來，揹在背上，大踏步便走。

到得家來，已是半夜。眾人還在那裏呼五叫六的吃酒，聽得外邊腳步響，曉得劉氏子已歸，恰像負着重東西走的。正在疑慮間，門開處，劉氏子直到燈前，放下背上所負在地。燈下一看，卻是一個簇新衣服的女人死屍。可也奇怪，挺然卓立，更不僵仆。一座之人猛然抬頭見了，個個驚得屁滾尿流，有的逃躲不及。劉氏子再把燈細細照着死屍面孔，只見臉上脂粉新施，形容甚美，只是雙眸緊閉，口中無氣，正不知是甚麼緣故。眾人都懷懼怕道："劉兄惡取笑，不當人子[3]！怎麼把一個死人揹在家裏來嚇人？快快仍揹了出去！"劉氏子大笑道："此乃吾妻也！我今夜還要與他同衾共枕，怎麼捨得負了出去？"說罷，就裸起雙袖，一抱抱將上床來，與他做了一頭，口對了口，果然做一被睡

---

1 演帳：擺架勢，做作樣子。

2 不拘：不管。

3 不當人子：原來意思是不成人，引申為豈有此理，罪過的意思。

下了。他也只要在眾人面前賣弄膽壯，故意如此做作。眾人又怕又笑，說道："好無賴賊，直如此大膽不怕！拚得輸東道與你罷了，何必做出此滲瀨勾當？"劉氏子憑眾人自說，只是不理，自睡了，眾人散去。劉氏子與死屍睡到了四鼓，那死屍得了生人之氣，口鼻裏漸漸有起氣來，劉氏子駭異，忙把手摸他心頭，卻是溫溫的。劉氏子道："慚愧！敢怕還活轉來？"正在疑惑間，那女人四肢已自動了。劉氏子越吐着熱氣接他，果然翻個身活將起來，道："這是那裏？我卻在此！"劉氏子問其姓名，只是含羞不說。

須臾之間，天大明了。只見昨晚同席這干人有幾個走來道："昨夜死屍在那裏？原來有這樣異事。"劉氏子且把被遮着女人，問道："有何異事？"那些人道："原來昨夜鄰人王氏之女嫁人，梳妝已畢，正要上轎，猛然急心疼死了。未及殯殮，只聽得一聲雷響，不見了屍首，至今無尋處。昨夜兄揹來死屍，敢怕就是？"劉氏子大笑道："我揹來是活人，何曾是死屍！"眾人道："又來調喉①！"劉氏子扯開被與眾人看時，果然是一個活人。眾人道："又來奇怪！"因問道："小娘子誰氏之家？"那女子見人多了，便說出話來，道："奴是此間王家女。因昨夜一個頭暈，跌倒在地，不知何緣在此？"劉氏子又大笑道："我昨夜原說道是吾妻，今說將來，便是我昔年求聘的了。我何曾吊謊？"眾人都笑將起來道："想是前世姻緣，我等當為撮合。"

此話傳聞出去，不多時王氏父母都來了，看見女兒是活的，又驚又喜。那女兒曉得就是前日求親的劉生，便對父母說道：

---

1 調喉：胡説八道。

"兒身已死，還魂轉來，卻遇劉生。昨夜雖然是個死屍，已與他同寢半夜，也難另嫁別人了，爹媽做主則個。"眾人都攛掇道："此是天意，不可有違！"王氏父母遂把女兒招了劉氏子為婿，後來偕老。可見天意有定，如此作合。倘若這夜不是暴死、大雷，王氏女已是別家媳婦了。又非劉氏子試膽作戲，就是因雷失屍，也有何涉？只因是夙世前緣，故此奇奇怪怪，顛之倒之，有此等異事。

這是個父母不肯許的，又有一個父母許了又悔的，也弄得死了活轉來，一念堅貞，終成夫婦。留下一段佳話，名曰《鞦韆會記》。正是：

> 精誠所至，金石為開。
> 貞心不寐，死後重諧。

這本話乃是元朝大德年間的事。那朝有個宣徽院使[1]叫做孛羅，是個色目人[2]，乃故相齊國公之子。生在相門，窮極富貴，第宅宏麗，莫與為比。卻又讀書能文，敬禮賢士，一時公卿間，多稱誦他好處。他家住在海子橋西，與僉判奄都剌、經歷東平王榮甫三家相聯，通家往來。宣徽私居後有花園一所，名曰杏園，取"春色滿園關不住，一枝紅杏出牆來"之意。那杏園中花卉之奇，亭榭之好，諸貴人家所不能仰望。每年春，宣徽諸妹諸女，

---

1 宣徽院使：元朝時負責提供皇室生活享用部門的長官。

2 色目人：元代按貴賤把人劃為四等，即蒙古人、色目人、漢人、南人。色目人就是來自西域等降國的人。

邀院判、經歷兩家宅眷，於園中設鞦韆之戲，盛陳飲宴，歡笑竟日。各家亦隔一日設宴還答，自二月末至清明後方罷，謂之"鞦韆會"。

於時有個樞密院同僉帖木兒不花的公子，叫做拜住，騎馬在花園牆外走過。只聞得牆內笑聲，在馬上欠身一望，正見牆內鞦韆競就，歡哄方濃。遙望諸女，都是絕色。拜住勒住了馬，潛身在柳陰中，恣意偷覷，不覺多時。那管門的老園公聽見牆外有馬鈴響，走出來看，只見有一個騎馬郎君呆呆地對牆裏覷着。園公認得是同僉公子，走報宣徽，宣徽急叫人趕出來。那拜住才撞見園公時，曉得有人知覺，恐怕不雅，已自打上了一鞭，去得遠了。

拜住歸家來，對着母誇說此事，盛道宣徽諸女個個絕色。母親解意，便道："你我正是門當戶對，只消遣媒求親，自然應允，何必望空羨慕？"就央個媒婆到宣徽家來說親。宣微笑道："莫非是前日騎馬看鞦韆的？吾正要擇婿，教他到吾家來看看。才貌若果好，便當許親。"媒婆歸報同僉，同僉大喜，便叫拜住盛飾儀服，到宣徽家來。

宣徽相見已畢，看他丰神俊美，心裏已有幾分喜歡。但未知內蘊才學如何，思量試他，遂對拜住道："足下喜看鞦韆，何不以此為題，賦《菩薩蠻》一調？老夫要請教則個。"拜住請筆硯出來，一揮而就。詞曰：

> 紅繩畫板柔荑指，東風燕子雙雙起。誇俊要爭高，更將裙繫牢。牙床和困睡，一任金釵墜。推枕起來遲，紗窗月上時。

宣徽見他才思敏捷，韻句鏗鏘，心下大喜，分付安排盛席款待。筵席完備，待拜住以子姪之禮，送他側首坐下，自己坐了主席。飲酒中間，宣徽想道："適間詠鞦韆詞，雖是流麗，或者是那日看過鞦韆，便已有此題詠，今日偶合着題目的，不然如何恁般來得快？真個七步之才[1]也不過如此。待我再試他一試看。"恰好聽得樹上黃鶯巧囀，就對拜住道："老夫再欲求教，將《滿江紅》調賦《鶯》一首。望不吝珠玉，意下如何？"拜住領命，即席賦成，拂拭剡藤，揮灑晉字，呈上宣徽，詞曰：

> 嫩日舒晴，韶光豔、碧天新霽。正桃腮半吐，鶯聲初試。孤枕乍聞弦索悄，曲屏時聽笙簧細。愛綿蠻柔舌韻東風，愈嬌媚。幽夢醒，閒愁泥。殘杏褪，重門閉。巧音芳韻，十分流麗。入柳穿花來又去，欲求好友真無計。望上林，何日得雙棲？心迢遞。

---

1 七步之才：指三國時的曹植，七步之間成詩，後形容人才思敏捷。

宣徽看見詞翰兩工①，心下已喜，及讀到末句，曉得是見景生情，暗藏着求婚之意，不覺拍案大叫道："好佳作！真吾婿也！老夫第三夫人有個小女，名喚速哥失里，堪配君子。待老夫喚出相見則個。"就傳雲板②請三夫人與小姐上堂。當下拜住見了岳母，又與小姐速哥失里相見了，正是鞦韆會裏女伴中最絕色者。拜住不敢十分抬頭，已自看得較切，不比前日牆外影響，心中喜樂不可名狀。相見罷，夫人同小姐回步。卻說內宅女眷，聞得堂上請夫人、小姐時，曉得是看中了女婿。別位小姐都在門背後縫裏張着，看見拜住一表非俗，個個稱羨。見速哥失里進來，私下與他稱喜道："可謂門闌多喜氣，女婿近乘龍也。"闔家讚美不置。

　　拜住辭謝了宣徽，回到家中，與父母說知，就擇吉日行聘。禮物之多，詞翰之雅，喧傳都下，以為盛事。誰知好事多磨，風雲不測，臺諫官員看見同僉富貴豪宕，上本參論他贓私，奉聖旨發下西臺御史勘問，免不得收下監中。那同僉是個受用的人，怎吃得牢獄之苦？不多幾日生起病來。元來元朝大臣在獄有病，例許題請釋放。同僉幸得脫獄，歸家調治，卻病得重了，百藥無效，不上十日，嗚呼哀哉，舉家號痛。誰知這病是惹的牢瘟，同僉既死，闔門染了此症，沒幾日就斷送一個，一月之內弄個盡絕，止剩得拜住一個不死。卻又被西臺追贓入官，家業不勾賠償，真個轉眼間冰消瓦解，家破人亡。

　　宣徽好生不忍，心裏要收留拜住回家成親，教他讀書，以圖

---

1 詞翰兩工：指詞好字也好。

2 雲板：古代官府之中通知內宅有事時要敲雲板傳音。

出身。與三夫人商議，那三夫人是個女流之輩，只曉得炎涼世態，那裏管甚麼大道理？心裏怫然不悅。元來宣徽別房雖多，惟有三夫人是他最寵愛的，家裏事務都是他主持，所以前日看上拜住，就只把他的女兒許了，也是好勝處。今日見別人的女兒，多與了富貴之家，反是他女婿家裏凋弊了，好生不伏氣，一心要悔這頭親事，便與女兒速哥失里說知。速哥失里不肯，哭諫母親道：“結親結義，一與定盟，終不可改。兒見諸姊妹家榮盛，心裏豈不羨慕？但寸絲為定，鬼神難欺。豈可因他貧賤，便想悔賴前言？非人所為。兒誓死不敢從命！”宣徽雖也道女兒之言有理，怎當得三夫人撒嬌撒癡，把宣徽的耳朵掇了轉來，那裏管女兒肯不肯，別許了平章闊闊出之子僧家奴。拜住雖然聞得這事，心中懊惱，自知失勢，不敢相爭。

那平章家擇日下聘，比前番同僉之禮更覺隆盛。三夫人道：“爭得氣來，心下方才快活。”只見平章家，揀下吉期，花轎到門。速哥失里不肯上轎，眾夫人、眾妹妹各來相勸。速哥失里大哭一場，含着眼淚，勉強上轎。到得平章家裏，儐相念了詩賦，啟請新人出轎。伴娘開簾，等待再三，不見抬身。攢頭轎內看時，叫聲：“苦也！”元來速哥失里在轎中偷解纏腳紗帶，縊頸而死，已此絕氣了。慌忙報與平章，連平章沒做道理處，叫人去報宣徽。那三夫人見說，兒天兒地哭將起來，急忙叫人追轎回來，急解腳纏，將薑湯灌下去，牙關緊閉，眼見得不醒。三夫人哭得昏暈了數次，無可奈何，只得買了一副重價的棺木，盡將平日房奩首飾珠玉及兩番夫家聘物，盡情納在棺內入殮，將棺木暫寄清安寺中。

且說拜住在家，聞得此變，情知小姐為彼而死，曉得柩寄清

安寺中，要去哭他一番。是
夜來到寺中，見了棺柩，不
覺傷心，撫膺大慟，真是哭
得三生諸佛都垂淚，滿房禪
侶盡長吁。哭罷，將雙手扣
棺道：“小姐陰靈不遠，拜
住在此。”只聽得棺內低低
應道：“快開了棺，我已活
了。”拜住聽得明白，欲要
開時，將棺木四周一看，漆
釘牢固，難以動手。乃對本
房主僧說道：“棺中小姐，

元是我妻屈死。今棺中說道已活，我欲開棺，獨自一人難以着
力，須求師父們幫助。”僧道：“此宣徽院小姐之棺，誰敢私
開？開棺者須有罪。”拜住道：“開棺之罪，我一力當之，不致
相累，況且暮夜無人知覺。若小姐果活了，放了出來，棺中所
有，當與師輩共分。若是不活，也等我見他一面，仍舊蓋上，誰
人知道？”那些僧人見說共分所有，他曉得棺中隨殮之物甚厚，
也起了利心；亦且拜住興頭時與這些僧人也是門徒施主①，不好
違拗。便將一把斧頭，把棺蓋撬將開來。只見劃然一聲，棺蓋開
處，速哥失里便在棺內坐了起來。見了拜住，彼此喜極。拜住便
說道：“小姐再生之慶，果是冥數，也虧得寺僧助力開棺。”小
姐便脫下手上金釧一對及頭上首飾一半，謝了僧人，剩下的還直

---

1 門徒施主：僧門和尚都被信佛之人各自奉養，被施主奉養的和尚叫做門徒。

數萬兩。拜住與小姐商議道："本該報宣徽得知，只是恐怕有變。而今身邊有財物，不如瞞着遠去，只央寺僧買些漆來，把棺木仍舊漆好，不說出來。神不知，鬼不覺，此為上策。"寺僧受了重賄，無有不依，照舊把棺木漆得光淨牢固，並不露一些風聲。拜住挈了速哥失里，走到上都尋房居住。那時身邊豐厚，拜住又尋了一館，教着蒙古生數人，復有月俸，家道從容，盡可過日。夫妻兩個，你恩我愛，不覺已過一年。也無人曉得他的事，也無人曉得甚麼宣徽之女，同龕之子。

卻說宣徽自喪女後，心下不快，也不去問拜住下落，好些時不見了他，只說是流離顛沛，連存亡不可保了。一日旨意下來，拜宣徽做開平尹，宣徽帶了家眷赴任。那府中事體煩雜，宣徽要請一個館客做記室[1]，代筆劄之勞。爭奈上都是個極北夷方，那裏尋得個儒生出來？訪有多日，有人對宣徽道："近有個士人，自大都挈家寓此，也是個色目人，設帳民間，極有學問。府君若要覓西賓，只有此人可以充得。"宣徽大喜，差個人拿帖去，快請了來。拜住看見了名帖，心知正是宣徽。忙對小姐說知了，穿着整齊，前來相見，宣徽看見，認得是拜住，吃了一驚，想道："我幾時不見了他，道是流落死亡了，如何得衣服濟楚，容色充盛如此？"不覺追念女兒，有些傷感起來。便對拜住道："昔年有負足下，反累愛女身亡，慚恨無極！今足下何因在此？曾有親事未曾？"拜住道："重蒙垂念，足見厚情。小婿不敢相瞞，令愛不亡，見同在此。"宣徽大驚道："那有此話！小女當日自縊，今屍棺見寄清安寺中，那得有個活的在此間？"拜住道：

---

1 記室：舊時指秘書的代稱。

"令愛小姐與小婿實是夙緣未絕，得以重生。今見在寓所，可以即來相見，豈敢有誑！"

宣徽忙走進去與三夫人說了，大家不信。拜住又叫人去對小姐說了，一乘轎竟抬入府衙裏來，驚得闔家人都上前來爭看，果然是速哥失里。那宣徽與三夫人不管是人是鬼，且抱着頭哭做了一團。哭罷，定睛再看，看去身上穿戴的，還是殮時之物，行步有影，衣衫有縫，言語有聲，料想真是個活人了。那三夫人道："我的兒，就是鬼，我也捨不得放你了！"只有宣徽是個讀書人見識，終是不信。疑心道："此是屈死之鬼，所以假託人形，幻惑年少。"口裏雖不說破，卻暗地使人到大都清安寺問僧家的緣故。僧家初時抵賴，後見來人說道已自相逢廝認①了，才把真心話一一說知。來人不肯便信，僧家把棺木撬開與他看，只見是個空棺，一無所有。回來報知宣徽道："此情是實。"宣徽道："此乃宿世前緣也！難得小姐一念不移，所以有此異事。早知如此，只該當初依我說，收養了女婿，怎見得有此多般？"三夫人見說，自覺沒趣，懊悔無極，把女婿越看待得親熱，竟贅他在家中終身。

後來速哥失里與拜住生了三子。長子教化，仕至遼陽等處行中省左丞。次子忙古歹，幼子黑廝，俱為內怯薛②帶御器械。教化與忙古歹先死，黑廝直做到樞密院使。天兵至燕，元順帝御清寧殿，集三宮皇后太子同議避兵。黑廝與丞相失列門哭諫道："天下者，世祖之天下也，當以死守。"順帝不聽，夜半開建德

---

1 廝認：相認。

2 內怯薛：蒙語，指宮中侍衛。

門遁去，黑廝隨入沙漠，不知所終。

平章府轎抬死女，清安寺漆整空棺。
若不是生前分定，幾曾有死後重歡！

串講

　　故事開篇講的，劉氏子是個英雄好漢，看上了王家的女兒，卻被人家拒絕。一天，他與一群好友打獵歸來，為了顯示膽氣，夜晚去墳地抱回了一具女屍，半夜歸來，嚇得大家四散奔逃。劉氏子笑稱這是他的妻子，晚上還要同床共枕。誰知這女屍半夜真的還了魂，而且竟然是他求過親的王家女，最後兩人終成眷屬。經過這鋪墊，故事進入一段更為曲折離奇的愛情傳奇。元代時一個少年公子拜住，才學淵博，人也長得英俊。一天，他騎馬經過宣徽院使家的宅院，聽到裏面有群少女在打鞦韆，都是絕色美女，於是託媒人上門提親。宣徽院使看他一表人才，心中已經喜歡，又試了試他的文才，更加滿意，於是把女兒速哥失里許配給他。拜住一看，正是蕩鞦韆群女中最美的那個。不料禍從天降，拜住的父親惹上官司，還身染瘟疫，全家很快全死光了，財產也被沒收充公，只剩下拜住一人。速哥失里的母親是個勢利眼，看到拜住家破人亡，於是反對將女兒嫁給他，反而將她許配給了更為富有的一戶人家。速哥失里深愛着拜住，下嫁之日在花轎中自縊身亡。宣徽院使和三夫人不勝哀痛，將女兒的靈柩寄放在清安寺。拜住聽說小姐為自己而死，半夜到清安寺祭奠，誰知棺木中傳來小姐的聲音，她又活了過來。兩人見面，格外激動，連忙收買了寺裏的僧人，連夜遠走上都，過着恩愛的日子。一年後的一天，新任的長官派人來請拜住擔任秘書，拜住一看名帖，正是自己的丈人。於是打扮整齊前去拜見。宣徽院使一看是拜住，不由十分羞愧，提起自己死去的女兒，拜住便將小姐死而復生的事情告訴了宣徽院使。於是，全家團圓，滿門皆喜。

評析

　　本篇故事以奇著稱，從拜住在花園外看小姐們的鞦韆會，到與速哥失里結成佳偶，再到拜住家敗、三夫人悔婚，直到小姐為情自盡，這都是很普通的愛情故事，我們在元雜劇、唐傳奇、宋元話本中看到了無數。故事真正的奇特之處是從拜住半夜哭祭小姐開始的，"撫膺大慟，真是哭得三生諸佛都垂淚，滿房禪侶盡長吁"，小姐為他的真情所打動，死而復生，扣棺而出，令人拍案驚奇。這一情節是全篇的高潮。之後，兩人隱居上都，不為人所知，直到一年後偶然的機會與父母重新團聚，又掀起了故事的小高潮。從故事情節來說，《初刻拍案驚奇》中另一篇《大姐魂遊完宿願，小妹病起續前緣》與這篇有些類似，只是那篇寫的是鬼魂的一點情愫寄託在自己妹妹身上，與自己心愛的人結合，跨越陰陽，情節更加離奇。我們之所以選這篇，一方面是因為這在生活中是完全有可能發生的，另一方面是因為《大姐魂遊完宿願，小妹病起續前緣》題材來自唐傳奇《離魂記》，元代《倩女離魂》、明代《牡丹亭》都是根據此創作的，而成就遠比不上這些同題材的劇作。本篇故事特色在於情節的設置，為達到清安寺夜祭的高潮，作者有意醞釀氣氛，精心構造了曲折情節，而且速起速落，使全篇波瀾起伏。先寫拜住偷看鞦韆會，繼而上門提親並通過測試，兩廂非常滿意，把雙方的熱烈情緒推向頂端，眼看就要成親。但是，作者筆鋒猛轉，寫拜住家破人亡、一貧如洗，讓兩家的關係跌入冰窨。拜住徹底打消了仍能娶到小姐的想法，而三夫人把女兒轉嫁他人，拜住和小姐的感情面臨徹底破滅的危機。無奈中，小姐選擇以死殉情，然後才自然引出拜住夜祭，小姐復生的高潮。本篇另一個引人注意處是作者很注意人物的身份，根據不同的人物採取了不同的表現方式。寫拜住，通過他的詩詞表現他的才華，通過他安排逃走前把棺木重新漆好表現他的謀略，通過時刻注意自己的儀表表現他的儒雅風度。其實，故事塑造人物性格最鮮活的是宣徽院使和三夫人。對宣徽院使的塑造重在心理活動的描述。他測試拜住的文才時，懷疑拜住事先擬好文章，於是又臨時出題，與女兒重逢後，又懷疑有詐，專門派人調查，之所以疑心很重，與他位居高位直接相關。刻畫三夫人則重在行動上，在悔婚時可以"撒嬌撒癡，把宣徽的耳朵掇了轉來"，顯示出專橫之氣；另一方面，女兒死後哭天喊地，重逢時哭做一團，又寫出了憐惜女兒的一面。本篇的不足之處有兩處，一在於作者的宗旨是要宣揚"結親結義，一與訂盟，終不可改"的婚姻觀，因此，對於兩人愛情本身並沒有過多描述，只是在清安寺夜祭時有一些展現；二在於主次顛倒，次要人物宣徽院使和三夫人的形象讀起來比拜住和小姐要飽滿得多。

惡船家計賺假屍銀　狠僕人誤投真命狀

詩曰：

> 杳杳冥冥地，非非是是天。
> 害人終自害，狠計總徒然。

話說殺人償命，是人世間最大的事，非同小可。所以是真難假，是假難真。真的時節，縱然有錢可以通神，目下脫逃憲網，到底天理不容，無心之中，自然敗露；假的時節，縱然嚴刑拷掠，誣伏莫伸，到底有個辨白的日子。假饒誤出誤入，那有罪的老死牖[1]下，無罪的卻命絕於囹圄、刀鋸之間，難道頭頂上這個老翁[2]是沒有眼睛的麼？所以古人說得好：

> 湛湛青天不可欺，未曾舉意已先知。
> 善惡到頭終有報，只爭來早與來遲。

說話的，你差了。這等說起來，不信死囚牢裏，再沒有個含冤負屈之人？那陰間地府也不須設得枉死城了！看官不知，那冤屈死的，與那殺人逃脫的，大概都是前世的事。若不是前世緣故，殺人竟不償命，不殺人倒要償命，死者、生者，怨氣沖天，縱然官府不明，皇天自然鑒察。千奇百怪的巧生出機會來了此公

---

1 牖：指窗戶。
2 頭頂上這個老翁：指老天爺。

案。所以說道："人惡人怕天不怕，人善人欺天不欺。"又道是："天網恢恢，疏而不漏。"

古來清官察吏，不止一人，曉得人命關天，又且世情不測。盡有極難信的事，偏是真的；極易信的事，偏是假的。所以就是情真罪當的，還要細細體訪幾番，方能夠獄無冤鬼。如今為官做吏的人，貪愛的是錢財，奉承的是富貴，把那"正直公平"四字撇卻東洋大海。明知這事無可寬容，也輕輕放過，明知這事有些尷尬，也將來草草問成。竟不想殺人可恕，情理難容。那親動手的姦徒，若不明正其罪，被害冤魂何時瞑目？至於扳誣冤枉的，卻又六問三推，千般鍛煉。嚴刑之下，就是凌遲碎剮的罪，急忙裏只得輕易招成，攪得他家破人亡。害他一人，便是害他一家了。只做自己的官，毫不管別人的苦，我不知他肚腸閣落①裏邊，也思想積些陰德與兒孫麼？如今所以說這一篇，專一奉勸世上廉明長者：一草一木，都是上天生命，何況祖宗赤子！須要慈悲為本，寬猛兼行，護正誅邪，不失為民父母之意。不但萬民感戴，皇天亦當祐之。

且說國朝有個富人王甲，是蘇州府人氏。與同府李乙，是個世仇。王甲百計思量害他，未得其便。忽一日，大風大雨。鼓打三更，李乙與妻子蔣氏吃過晚飯，熟睡多時。只見十餘個強人，將紅朱黑墨搽了臉，一擁的打將入來。蔣氏驚慌，急往床下躲避。只見一個長鬚大面的，把李乙的頭髮揪住，一刀砍死，竟不搶東西，登時散了。蔣氏卻在床下，看得親切，戰抖抖的走將出來，穿了衣服，向丈夫屍首嚎啕大哭。此時鄰人已都來看了，各

---

1 閣落：方言，角落的意思。

各悲傷，勸慰了一番。蔣氏道："殺奴丈夫的，是仇人王甲。"眾人道："怎見得？"蔣氏道："奴在床下，看得明白。那王甲原是仇人，又且長鬚大面，雖然搽墨，卻是認得出的。若是別的強盜，何苦殺我丈夫，東西一毫不動？這兇身不是他是誰？有煩列位與奴做主。"眾人道："他與你丈夫有仇，我們都是曉得的。況且地方盜發，我們該報官。明早你寫紙狀詞，同我們到官首告便是，今日且散。"眾人去了。蔣氏關了房門，又哽咽了一會。那裏有心去睡？苦啾啾的捱到天明。央鄰人買狀式寫了，取路投長洲縣來。正值知縣升堂放告，蔣氏直至階前，大聲叫屈。知縣看了狀子，問了來歷，見是人命盜情重事，即時批准。地方也來遞失狀。知縣委捕官相驗，隨即差了應捕擒捉兇身。

卻說那王甲自從殺了李乙，自恃搽臉，無人看破，揚揚得意，毫不提防。不期一夥應捕，擁入家來，正是疾雷不及掩耳，一時無處躲避。當下被眾人索了，登時押到縣堂。知縣問道："你如何殺了李乙？"王甲道："李乙自是強盜殺了，與小人何干？"知縣問蔣氏道："你如何告道是他？"蔣氏道："小婦人躲在床底看見，認得他的。"知縣道："夜晚間如何認得這樣真？"蔣氏道："不但認得模樣，還有一件事情可推。若是強盜，如何只殺了人便散了，不搶東西？此不是平日有仇的卻是那個？"知縣便叫地鄰①來問他道："那王甲與李乙果有仇否？"地鄰盡說："果然有仇！那不搶東西，只殺了人，也是真的。"知縣便喝叫把王甲夾起，那王甲是個富家出身，忍不得痛苦，只得招道："與李乙有仇，假妝強盜殺死是實。"知縣取了親筆供

---

1 地鄰：耕地相連，叫做地鄰，即鄰里。

招，下在死囚牢中。王甲一時招承，心裏還想辯脫。思量無計，自忖道：“這裏有個訟師，叫做鄒老人，極是奸滑，與我相好，隨你十惡大罪，與他商量，便有生路。何不等兒子送飯時，教他去與鄒老人商量？”

少頃，兒子王玄送飯來了。王甲說知備細，又分付道：“倘有使用處，不可吝惜錢財，誤我性命！”玄一一應諾，徑投鄒老人家來，說知父親事體，求他計策謀脫。老人道：“令尊之事親口供招，知縣又是新到任的，自手問成。隨你那裏告辯，出不得縣間初案，他也不肯認錯翻招。你將二三百兩與我，待我往南京走走，尋個機會，定要設法出來。”玄道：“如何設法？”老人道：“你不要管我，只交銀子與我了，日後便見手段，而今不好先說得。”玄回去，當下湊了三百兩銀子，到鄒老人家支付得當，隨即催他起程。鄒老人道：“有了許多白物，好歹要尋出一個機會來。且寬心等待等待。”玄謝別而回，老人連夜收拾行李，往南京進發。

不一日來到南京，往刑部衙門細細打聽。說有個浙江司郎中徐公，甚是通融，抑且好客。當下就央了一封先容①的薦書，備了一副盛禮去謁徐公。徐公接見了，見他會說會笑，頗覺相得。彼此頻頻去見，漸廝熟來。正無個機會處，忽一日，捕盜衙門時押海盜二十餘人，解到刑部定罪。老人上前打聽，知有兩個蘇州人在內。老人點頭大喜，自言自語道：“計在此了。”次日整備筵席，寫帖請徐公飲酒。不逾時酒筵完備，徐公乘轎而來，老人笑臉相迎。定席以後，說些閒話。飲至更深時分，老人屏去眾

---

1 先容：指替人介紹引進。

人，便將百兩銀子托出，獻與徐公。徐公吃了一驚，問其緣故。老人道：「今有舍親王某，被陷在本縣獄中，伏乞周旋。」徐公道：「苟可效力，敢不從命？只是事在彼處，難以為謀。」老人道：「不難，不難。王某只為與李乙有仇，今李乙被殺，未獲兇身，故此遭誣下獄。昨見解到貴部海盜二十餘人，內二人蘇州人也。今但逼勒二盜，要他自認做殺李乙的，則二盜總是一死，未嘗加罪，舍親王某已沐再生之恩了。」徐公許諾，輕輕收過銀子，親放在扶手匣裏面。喚進從人，謝酒乘轎而去。

　　老人又密訪着二盜的家屬，許他重謝，先送過一百兩銀子。二盜也應允了。到得會審之時，徐公喚二盜近前，開口問道：「你們曾殺過多少人？」二盜即招某時某處殺某人；某月某日夜間到李家殺李乙。徐公寫了口詞，把諸盜收監，隨即疊成文案。鄒老人便使用書房行文書抄招到長洲縣知會。就是他帶了文案，別了徐公，竟回蘇州，到長洲縣當堂投了。知縣拆開，看見殺李乙的已有了主名，便道王甲果然屈招。正要取監犯查放，忽見王玄進來叫喊訴冤。知縣信之不疑，喝叫監中取出王甲，登時釋放，蔣氏聞知這一番說話，沒做理會處，也只道前日夜間果然自己錯認了，只得罷手。卻說王甲得放歸家，歡歡喜喜，搖擺進門。方才到得門首，忽然一陣冷風，大叫一聲，道：「不好了，李乙哥在這裏了！」驀然倒地。叫喚不醒，霎時氣絕，嗚呼哀哉。有詩為證：

　　　　髯臉閻王本認真，殺人償命在當身。
　　　　暗中取換天難騙，堪笑多謀鄒老人！

前邊說的人命是將真作假的了，如今再說一個將假作真的。只為些些小事，被奸人暗算，弄出天大一場禍來。若非天道昭昭，險些兒死於非命。正是：

　　福善禍淫，昭彰天理。欲害他人，先傷自己。

　　話說國朝成化年間，浙江溫州府永嘉縣有個王生，名傑，字文豪。娶妻劉氏，家中止有夫妻二人。生一女兒，年方二歲。內外安童養娘數口，家道亦不甚豐富。王生雖是業儒，尚不曾入泮[1]，只在家中誦習，也有時出外結友論文。那劉氏勤儉作家，甚是賢慧，夫妻彼此相安。忽一日，正遇暮春天氣，二三友人扯了王生往郊外踏青遊賞。但見：

　　遲遲麗日，拂拂和風。紫燕黃鶯，綠柳叢中尋對偶；狂蜂浪蝶，夭桃隊裏覓相知。王孫公子，興高時無日不來尋酒肆；豔質嬌姿，心動處此時未免露閨容。須教殘醉可重扶，幸喜落花猶未掃。

　　王生看了春景融和，心中歡暢，吃個薄醉，取路回家裏來。只見兩個家僮正和一個人門首喧嚷。原來那人是湖州客人，姓呂，提着竹籃賣薑。只為家僮要少他的薑價，故此爭執不已。王生問了緣故，便對那客人道：「如此價錢也好賣了，如何只管在我家門首喧嚷？好不曉事！」那客人是個憨直的人，便回話道：

1　入泮：指尚未入學讀書。

"我們小本經紀，如何要打短我的？相公須放寬洪大量些，不該如此小家子相！"王生乘着酒興，大怒起來，罵道："那裏來這老賊驢！輒敢如此放肆，把言語衝撞我！"走近前來，連打了幾拳，一手推將去。不想那客人是中年的人，有痰火病的，就這一推裏，一交跌去，一時悶倒在地。正是：

身如五鼓銜山月，命似三更油盡燈。

原來人生最不可使性，況且這小人買賣，不過爭得一二個錢，有何大事？常見大人家強梁僮僕，每每借着勢力，動不動欺打小民，到得做出事來，又是家主失了體面。所以有正經的，必然嚴行懲戒。只因王生不該自己使性動手打他，所以到底為此受累。這是後話。卻說王生當日見客人悶倒，吃了一大驚，把酒意都驚散了。連忙喝叫扶進廳來眠了，將茶湯灌將下去，不逾時蘇醒轉來。王生對客人謝了個不是，討些酒飯與他吃了，又拿出白絹一匹與他，權為調理之資。那客人回嗔作喜，稱謝一聲，望着渡口去了。若是王生有未卜先知的法術，慌忙向前攔腰抱住，扯將轉來，就養他在家半年兩個月，也是情願，不到得惹出飛來橫禍。只因這一去，有分教：

雙手撒開金線網，從中釣出是非來。

那王生見客人已去，心頭尚自跳一個不住。走進房中與妻子說了，道："幾乎做出一場大事來。僥倖！僥倖！"此時天已晚了，劉氏便叫丫鬟擺上幾樣菜蔬，燙熱酒與王生壓驚。飲過數杯，只聞得外邊叫門聲甚急，王生又吃一驚，拿燈出來看時，卻是渡頭船家周四，手中拿了白絹、竹籃，倉倉皇皇，對王生說道：「相公，你的禍事到了。如何做出這人命來？」嚇得王生面如土色，只得再問緣由。周四道：「相公可認得白絹、竹籃麼？」王生看了道：「今日有個湖州的賣薑客人到我家來，這白絹是我送他的，這竹籃正是他盛薑之物，如何卻在你處？」周四道：「下晝①時節，是有一個湖州姓呂的客人，叫我的船過渡，到得船中，痰火病大發。將次危了，告訴我道被相公打壞了。他就把白絹、竹籃支付與我做個證據，要我替他告官；又要我到湖州去報他家屬，前來伸冤討命。說罷，瞑目死了。如今屍骸尚在船中，船已撐在門首河頭了，且請相公自到船中看看，憑相公如何區處②！」

　　王生聽了，驚得目睜口呆，手麻腳軟，心頭恰像有個小鹿兒撞來撞去的，口裏還只得硬着膽道：「那有此話？」背地教人走到船裏看時，果然有一個死屍骸。王生是虛心病的，慌了手腳，跑進房中與劉氏說知。劉氏道：「如何是好？」王生道：「如今事到頭來，說不得了。只是買求船家，要他乘此暮夜將屍首設法過了，方可無事。」王生便將碎銀一包約有二十多兩袖在手中，出來對船家說道：「家長不要聲張，我與你從長計議。事體是我自做得不是了，卻是出於無心的。你我同是溫州人，也須有些鄉里之情，何苦到為着別處人報仇，且報得仇來與你何益？不如不要提起，待我出些謝禮與你，求你把此屍載到別處拋棄了。黑夜

---

1 下晝：下午。
2 區處：處理，處置。

裏誰人知道？”船家道："拋棄在那裏？倘若明日有人認出來，追究根原，連我也不得乾淨。"王生道："離此不數里，就是我先父的墳塋，極是僻靜，你也是認得的。乘此暮夜無人，就煩你船載到那裏，悄悄地埋了。人不知，鬼不覺。"周四道："相公的說話甚是有理，卻怎麼樣謝我？"王生將手中之物出來與他，船家嫌少道："一條人命，難道只值得這些些銀子？今日湊巧，死在我船中，也是天與我的一場小富貴。一百兩銀子須是少不得的。"王生只要完事，不敢違拗，點點頭，進去了一會，將着些現銀及衣裳首飾之類，取出來遞與周四道："這些東西，約莫有六十金了。家下貧寒，望你將就包容罷了。"周四見有許多東西，便自口軟了，道："罷了，罷了。相公是讀書之人，只要時常看覷①我就是，不敢計較。"王生此時是情急的，正是：得他心肯日，是我運通時。心中已自放下幾分，又擺出酒飯與船家吃了。隨即喚過兩個家人，分付他尋了鋤頭、鐵耙之類。內中一個家人姓胡，因他為人兇狠，有些力氣，都稱他做胡阿虎。當下一一都完備了，一同下船到墳上來。揀一塊空地，掘開泥土，將屍首埋藏已畢，又一同上船回家裏來。整整弄了一夜，漸漸東方已發亮了，隨即又請船家吃了早飯，作別而去。王生教家人關了大門，各自散訖。

王生獨自回進房來，對劉氏說道："我也是個故家子弟，好模好樣的，不想遭這一場，反被那小人逼勒。"說罷，淚如雨下。劉氏勸道："官人，這也是命裏所招，應得受些驚恐，破此財物。不須煩惱！今幸得靠天，太平無事，便是十分僥倖了！辛

---

① 看覷：照顧。

苦了一夜，且自將息將息。"當時又討些茶飯與王生吃了，各各安息不題。

過了數日，王生見事體平靜，又買些三牲福物之類，拜獻了神明、祖宗。那周四不時的來，假做探望，王生殷殷勤勤待他，不敢衝撞；些小借撥，勉強應承。周四已自從容了，賣了渡船，開着一個店舖。自此無話。

看官聽說，王生到底是個書生，沒甚見識。當日既然買囑船家，將屍首載到墳上，只該聚起乾柴，一把火焚了，無影無蹤，卻不乾淨？只為一時沒有主意，將來埋在地中，這便是斬草不除根，萌芽春再發。

又過了一年光景，真個濃霜只打無根草，禍來只奔福輕人。那三歲的女兒，出起極重的痘子①來。求神問卜，請醫調治，百無一靈。王生只有這個女兒，夫妻歡愛，十分不捨，終日守在床邊啼哭。一日，有個親眷辦着盒禮來望痘客。王生接見，茶罷，訴說患病的十分沉重，不久當危。那親眷道："本縣有個小兒科姓馮，真有起死回生手段，離此有三十里路，何不接他來看覷看覷？"王生道："領命。"當時天色已黑，就留親眷吃了晚飯，自別去了。王生便與劉氏說知，寫下請帖，連夜喚將胡阿虎來，分付道："你可五鼓動身，拿此請帖去請馮先生早來看痘。我家裏一面擺着午飯，立等。"胡阿虎應諾去了，當夜無話。次日，王生果然整備了午飯直等至未申時，杳不見來。不覺的又過了一日，到床前看女兒時，只是有增無減。捱至三更時分，那女兒只有出的氣，沒有入的氣，告辭父

---

1 痘子：即染上天花。

母往閻家裏①去了。正是：金風吹柳蟬先覺，暗送無常死不知。

　　王生夫妻就如失了活寶一般，各各哭得發昏。當時盛殮已畢，就焚化了。天明以後，到得午牌時分，只見胡阿虎轉來回覆道："馮先生不在家裏，又守了大半日，故此到今日方回。"王生垂淚道："可見我家女兒命該如此，如今再也不消說了。"直到數日之後，同伴中說出實話來，卻是胡阿虎一路飲酒沉醉，失去請帖，故此直捱至次日方回，造此一場大謊。王生聞知，思念女兒，勃然大怒。即時喚進胡阿虎，取出竹片要打。胡阿虎道："我又不曾打殺了人，何須如此？"王生聞得此言，一發怒從心上起，惡向膽邊生，連忙教家僮扯將下去，一氣打了五十多板，方才住手，自進去了。胡阿虎打得皮開肉綻，拐呀拐的，走到自己房裏來，恨恨的道："為甚的受這般鳥氣？你女兒痘子，本是沒救的了，難道是我不接得郎中，斷送了他？不值得將我這般毒打。可恨！可恨！"又想了一回道："不妨事，大頭在我手裏，且待我將息棒瘡好了，也教他看我的手段。不知還是井落在吊桶裏，吊桶落在井裏。如今且不要露風聲，等他先做了整備。"正是：

　　　　勢敗奴欺主，時衰鬼弄人。

　　不說胡阿虎暗生奸計，再說王生自女兒死後，不覺一月有餘，親眷朋友每每備了酒餚與他釋淚，他也漸不在心上了。忽一日，正在廳前閒步，只見一班應捕擁將進來，帶了麻繩鐵索，不

---

1 閻家裏：指閻王家裏，即死了。

管三七二十一，望王生頸上便套。王生吃了一驚，問道："我是個儒家子弟，怎把我這樣淩辱！卻是為何？"應捕呸了一呸道："好個殺人害命的儒家子弟！官差吏差，來人不差。你自到太爺面前去講。"當時劉氏與家僮婦女聽得，正不知甚麼事頭發了，只好立着呆看，不敢向前。

此時不由王生做主，那一夥如狼似虎的人，前拖後扯，帶進永嘉縣來，跪在堂下右邊，卻有個原告跪在左邊。王生抬頭看時，不是別人，正是家人胡阿虎，已曉得是他懷恨在心出首的了。那知縣明時佐開口問道："今有胡虎首你打死湖州客人姓呂的，這怎麼說？"王生道："青天老爺，不要聽他說謊！念王傑弱怯怯的一個書生，如何會得打死人？那胡虎原是小的家人，只為前日有過，將家法痛治一番，為此懷恨，構此大難之端，望爺臺照察！"胡阿虎叩頭道"青天爺爺，不要聽這一面之詞。家主打人自是常事，如何懷得許多恨？如今屍首現在墳塋左側，萬乞老爺差人前去掘取。只看有屍是真，無屍是假。若無屍時，小人情願認個誣告的罪。"知縣依言即便差人押去起屍。胡阿虎又指點了地方尺寸，不逾時，果然抬個屍首到縣裏來。知縣親自起身相驗，說道：

"有屍是真，再有何說？"正要將王生用刑，王生道"老爺聽我分訴：那屍骸已是腐爛的了，須不是目前打死的。若是打死多時，何不當時就來首告，直待今日？分明是胡虎那裏尋這屍首，霹空①誣陷小人的。"知縣道："也說得是。"胡阿虎道："這屍首實是一年前打死的，因為主僕之情，有所不忍；

---

1 霹空：憑空捏造。

況且以僕首主，先有一款罪名，故此含藏不發。如今不想家主行兇不改，小的恐怕再做出事來，以致受累，只得重將前情首告。老爺若不信時，只須喚那四鄰八舍到來，問去年某月日間，果然曾打死人否？即此便知真偽了。"知縣又依言，不多時，鄰舍喚到。知縣

逐一動問，果然說去年某月某日間，有個薑客被王家打死，暫時救醒，以後不知何如。王生此時被眾人指實，顏色都變了，把言語來左支右吾。知縣道："情真罪當，再有何言？這廝不打，如何肯招？"疾忙抽出籤來，喝一聲："打！"兩邊皂隸吆喝一聲，將王生拖翻，着力打了二十板。可憐瘦弱書生，受此痛棒拷掠。王生受苦不過，只得一一招成。知縣錄了口詞，說道："這人雖是他打死的，只是沒有屍親執命，未可成獄。且一面收監，待有了認屍的，定罪發落。"隨即將王生監禁獄中，屍首依舊抬出埋藏，不得輕易燒毀，聽後檢償。發放眾人散訖，退堂回衙。那胡阿虎道是私恨已泄，甚是得意，不敢回王家見主母，自搬在別處住了。

卻說王家家僮們在縣裏打聽消息，得知家主已在監中，嚇得兩耳雪白，奔回來報與主母。劉氏一聞此信，便如失去了三魂，

大哭一聲，望後便倒，未知性命如何？先見四肢不動。丫鬟們慌了手腳，急急叫喚。那劉氏漸漸醒將轉來，叫聲："官人！"放聲大哭，足有兩個時辰，方才歇了。疾忙收拾些零碎銀子，帶在身邊。換了一身青衣，教一個丫鬟隨了，分付家僮在前引路，逕投永嘉縣獄門首來。夫妻相見了，痛哭失聲。王生又哭道："卻是阿虎這奴才，害得我至此！"劉氏咬牙切齒，恨恨的罵了一番。便在身邊取出碎銀，付與王生道："可將此散與牢頭獄卒，教他好好看覷，免致受苦。"王生接了。天色昏黑，劉氏只得相別，一頭啼哭，取路回家，胡亂用些晚飯，悶悶上床。思量："昨夜與官人同宿，不想今日遭此禍事，兩地分離。"不覺又哭了一場，凄凄慘慘睡了，不題。

卻說王生自從到獄之後，雖則牢頭禁子受了錢財，不受鞭棰之苦，卻是相與的都是那些蓬頭垢面的囚徒，心中有何快活？況且大獄未決，不知死活如何，雖是有人殷勤送衣送飯，到底不免受些飢寒之苦，身體日漸羸瘠①了。劉氏又將銀來買上買下，思量保他出去。又道是人命重事，不易輕放，只得在監中耐守。光陰似箭，日月如梭。王生在獄中，又早懨懨的捱過了半年光景，勞苦憂愁，染成大病。劉氏求醫送藥，百般無效，看看待死。

一日，家僮來送早飯，王生望着監門，分付道："可回去對你主母說，我病勢沉重不好，旦夕必要死了；教主母可作急來一看，我從此要永訣了！"家僮回家說知，劉氏心慌膽戰，不敢遲延，疾忙僱了一乘轎，飛也似抬到縣前來。離了數步，下了轎，走到獄門首，與王生相見了，淚如湧泉，自不必說。王生道：

---

1 羸瘠：消瘦憔悴的樣子。

"愚夫不肖，誤傷了人命，以致身陷縲絏^①，辱我賢妻。今病勢有增無減了，得見賢妻一面，死也甘心。但只是胡阿虎這個逆奴，我就到陰司地府，決不饒過他的。"劉氏含淚道："官人不要說這不祥的話！且請寬心調養，人命既是誤傷，又無苦主^②，奴家匡得賣盡田產救取官人出來，夫妻完聚。阿虎逆奴，天理不容，到底有個報仇日子，也不要在心。"王生道："若得賢妻如此用心，使我重見天日，我病體也就減幾分了。但恐弱質懨懨，不能久待。"劉氏又勸慰了一番，哭別回家，坐在房中納悶。僮僕們自在廳前鬥牌耍子，只見一個半老的人挑了兩個盒子，竟進王家裏來。放下扁擔，對家僮問道："相公在家麼？"只因這個人來，有分教：負屈寒儒，得遇秦庭朗鏡^③：行兇詭計，難逃蕭相明條^④。有詩為證：

> 湖商自是隔天涯，舟子無端起禍胎。
> 指日王生冤可白，災星換做福星來。

那些家僮見了那人，仔細看了一看，大叫道："有鬼！有鬼！"東逃西竄。你道那人是誰？正是一年前來賣薑的湖州呂客人。那客人忙扯住一個家僮，問道：

"我來拜你家主，如何說我是鬼？"劉氏聽得廳前喧鬧，走將出來。呂客人上前唱了個喏，說道："大娘聽稟，老漢湖州薑

---

1 縲絏：捆綁犯人的繩子，此處指身陷牢獄。

2 苦主：指受害人的家屬。

3 秦庭朗鏡：傳聞秦始皇有面鏡子，可以照見人的五臟六腑。後世指官吏善於審案。

4 蕭相明條：指漢代宰相蕭何制定的制度法律。

客呂大是也。前日承相公酒飯，又贈我白絹，感激不盡。別後到了湖州，這一年半裏邊，又到別處做些生意。如今重到貴府走走，特地辦些土宜①來拜望你家相公。不知你家大官們如何說我是鬼？”旁邊一個家僮嚷道：“大娘，不要聽他，一定得知道大娘要救官人，故此出來現形索命。”劉氏喝退了，對客人說道：“這等說起來，你真不是鬼了。你害得我家丈夫好苦！”呂客人吃了一驚道：“你家相公在那裏？怎的是我害了他？”劉氏便將周四如何撐屍到門，說留絹籃為證，丈夫如何買囑船家，將屍首埋藏，胡阿虎如何首告，丈夫招承下獄的情由，細細說了一遍。

呂客人聽罷，捶着胸膛道：“可憐！可憐！天下有這等冤屈的事！去年別去，下得渡船，那船家見我的白絹，問及來由，我不合將相公打我垂危、留酒贈絹的事情，備細說了一番。他就要買我白絹，我見價錢相應，即時賣了。他又要我的竹籃兒，我就與他作了渡錢。不想他賺得我這兩件東西，下這般狠毒之計！老漢不早到溫州，以致相公受苦，果然是老漢之罪了。”劉氏道：“今日不是老客人來，連我也不知丈夫是冤枉的。那絹兒籃兒是他騙去的了，這死屍卻是那裏來的？”呂客人想了一回道：“是了是了。前日正在船中說這事時節，只見水面上一個屍骸浮在岸邊。我見他注目而視，也只道出於無心，誰知因屍就生奸計了。好狠！好狠！如今事不宜遲，請大娘收進了土宜，與老漢同到永嘉縣訴冤，救相公出獄，此為上着。”劉氏依言收進盤盒，擺飯請了呂客人。他本是儒家之女，精通文墨，不必假借訟師。就自己寫了一紙訴狀，僱乘女轎，同呂客人及僮僕等取路投永嘉縣來。

1 土宜：土特產。

等了一會，知縣升晚堂了。劉氏與呂大大聲叫屈，遞上訴詞。知縣接上，從頭看過。先叫劉氏起來問，劉氏便將丈夫爭價誤毆，船家撐屍得財，家人懷恨出首的事，從頭至尾，一一分剖。又說："直至今日薑客重來，才知受枉。"知縣又叫呂大起來問，呂大也將被毆始末，賣絹根由，一一說了。知縣道"莫非你是劉氏買出來的？"呂大叩頭道："爺爺，小的雖是湖州人，在此為客多年，也多有相識的在這裏，如何瞞得老爺過？當時若果然將死，何不央船家尋個相識來見一見，託他報信復仇，卻將來託與一個船家？這也不道是臨危時節，無暇及此了。身死之後，難道湖州再沒有個骨肉親戚，見是久出不歸，也該有人來問個消息。若查出被毆傷命，就該到府縣告理。如何直等一年之後，反是王家家人首告？小人今日才到此地，見有此一場屈事。那王傑雖不是小人陷他，其禍都因小人而起，實是不忍他含冤負屈，故此來到臺前控訴，乞老爺筆下超生！"知縣道："你既有相識在此，可報名來。"呂大屈指頭說出十數個，知縣一一提筆記了。卻到把後邊的點出四名，喚兩個應捕上來，分付道："你可悄悄地喚他同做證見的鄰舍來。" 應捕隨應命去了。

不逾時，兩夥人齊喚了來。只見那相識的四人，遠遠地望見呂大，便一齊道："這是湖州呂大哥，如何在這裏？一定前日原不曾死。"知縣又教鄰舍近前細認，都駭然道："我們莫非眼花了！這分明是被王家打死的薑客，不知還是到底救醒了，還是面龐廝象的？"內中一個道："天下那有這般相像的理？我的眼睛一看過，再不忘記。委實是他，沒有差錯。"此時知縣心裏已有幾分明白了，即便批准訴狀，叫起這一干人，分付道："你們出去，切不可張揚。若違我言，拿來重責。"眾人唯唯而退。知縣隨即喚幾個應捕，分付道：“你們可密訪着船家周四，用甘言美語哄他到此，不可說出實情。那原首人胡虎自有保家，俱到明日午後，帶齊聽審。”應捕應諾，分頭而去。知縣又發付劉氏、呂大回去，到次日晚堂伺候。二人叩頭同出。劉氏引呂大到監門前見了王生，把上項事情盡說了。王生聞得，滿心歡喜，卻似醍醐灌頂，甘露灑心，病體已減去六七分了。說道：“我初時只怪阿虎，卻不知船家如此狠毒。今日不是老客人來，連我也不知自己是冤枉的。”正是：

> 雪隱鷺鷥飛始見，柳藏鸚鵡語方知。

劉氏別了王生，出得縣門，乘着小轎，呂大與僮僕隨了，一同徑到家中。劉氏自進房裏，教家僮們陪客人吃了晚食，自在廳上歇宿。

次日過午，又一同的到縣裏來，知縣已升堂了。不多時，只見兩個應捕將周四帶到。原來那周四自得了王生銀子，在本縣開個布店。應捕得了知縣的令，對他說：“本縣大爺要買布。”即時哄到縣堂上來。也是天理合當敗露，不意之中，猛抬頭見了呂大，不覺兩耳通紅。呂大叫道：“家長哥，自從買我白絹、竹籃，一別直到今日。這幾時生意好麼？”周四頓口無言，面如槁木。少頃，胡阿虎也取到了。原來胡阿虎搬在他方，近日偶回縣中探親，不期應捕正遇着他，便上前搗個鬼道：“你家家主人命事已有苦主了，只待原首人來，即便審決。我們那一處不尋得到？”胡阿虎認真歡歡喜喜，隨着公人直到縣堂跪下。知縣指着呂大問道：“你可認得那人？”胡阿虎仔細一看，吃了一驚，心下好生躊躇，委決不下，一時不能回答。

　　知縣將兩人光景，一一看在肚裏了。指着胡阿虎大罵道：“你這個狠心狗行的奴才！家主有何負你，直得便與船家同謀，覓這假屍誣陷人？”胡阿虎道：“其實是家主打死的，小人並無虛謬。”知縣怒道：“還要口強！呂大既是死了，那堂下跪的是什麼人？”喝叫左右夾將起來，“快快招出奸謀便罷！”胡阿虎被夾，大喊道：“爺爺，若說小人不該懷恨在心，首告家主，小人情願認罪。若要小人招做同謀，便死也不甘的。當時家主不合打倒了呂大，即刻將湯救醒，與了酒飯，贈了白絹，自往渡口去了。是夜二更天氣，只見周四撐屍到門，又有白絹、竹籃為證，闔家人都信了。家主卻將錢財買住了船家，與小人同載至墳塋埋訖。以後因家主毒打，小人挾了私仇，到爺爺臺下首告，委實不知這屍真假。今日不是呂客人來，連小人也不知是家主冤枉的。那死屍根由，都在船家身上。”

　　知縣錄了口語，喝退胡阿虎，便叫周四上前來問。初時也將言語支吾，卻被呂大在旁邊面對，知縣又用起刑來。只得一一招承道：“去年某月某日，呂大懷着白絹下船。偶然問起緣由，始知被毆詳細。恰好渡口原有這個死屍在岸邊浮着，小的因此生心要詐騙王家，特地買他白絹，又哄他竹籃，就把水裏屍首撈在船上了。來到王家，誰想他一說便信。以後得了王生銀子，將來埋在墳頭。只此是真，並無虛話。”知縣道：“是便是了，其中也還有些含糊。那裏水面上恰好有個流屍？又恰好與呂大廝像？畢竟又從別處謀害來詐騙王生的。”周四大叫道：“爺爺，冤枉！小人若要謀害別人，何不就謀害了呂大？前日因見流屍，故此生出買絹籃的計策。心中也道：‘面龐不像，未必哄得信。’小人欺得王生一來是虛心病的，二來與呂大只見得一面，況且當日天色昏了，燈光之下，一般的死屍，誰能細辨明白？三來白絹、竹籃又是王生及薑客的東西，定然不疑，故此大膽哄他一哄。不想果被小人瞞過，並無一個人認得出真假。那屍首的來歷，想是失腳落水的。小人委實不知。”呂大跪上前稟道：“小人前日過渡時節，果然有個流屍，這話實是真情了。”知縣也錄了口語。周四道：“小人本意，只要詐取王生財物，不曾有心害他，乞老爺從輕擬罪。”知縣大喝道：“你這沒天理的狠賊！你自己貪他銀子，便幾乎害得他家破人亡。似此詭計兇謀，不知陷過多少人了？我今日也為永嘉縣除了一害。那胡阿虎身為家奴，拿着影響[1]之事，背恩賣主，情實可恨！合當重行責罰。”當時喝教把兩人扯下，胡阿虎重打四十，周四不計其數，以氣絕為止。不想那阿虎近日傷寒病未痊，受刑不起：也只為奴才背主，天理難容，打不上四十，死於堂前。周四直至七十板後，方才昏絕。可憐二惡兇殘，今日斃於杖下。

　　知縣見二人死了，責令屍親前來領屍。監中取出王生，當堂釋放。又抄取周四店中布匹，估價一百金，原是王生被詐之物，例該入官，因王生是個書生，屈陷多時，憐他無端，改“贓物”做了“給主”，也是知縣好處。墳旁屍首，掘起驗時，手爪有沙，是個失水的。無有屍親，責令忤作埋之義塚。王生等三人謝了知縣出來。到得家中，與劉氏相持痛哭了一場。又到廳前與呂客人重新見禮。那呂大見王生為他受屈，王生見呂大為他辯誣，俱各致個不安，互相感激，這教做不打不相識，以後遂不絕往

_____

1 影響：傳聞的，捕風捉影。

來。王生自此戒了好些氣性，就是遇着乞兒，也只是一團和氣。感憤前情，思想榮身雪恥，閉戶讀書，不交賓客，十年之中，遂成進士。

所以說為官做吏的人，千萬不可草菅人命，視同兒戲。假如王生這一樁公案，惟有船家心裏明白，不是薑客重到溫州，家人也不知家主受屈，妻子也不知道丈夫受屈，本人也不知自己受屈。何況公庭之上，豈能盡照覆盆①？慈祥君子，須當以此為鑒：

> 囹圄刑措號仁君，吉網羅鉗最枉人。
> 寄語昏污諸酷吏，遠在兒孫近在身。

串講

這是一個曲折離奇的案件。故事開篇先講蘇州王甲和李乙是世仇，一天，王甲假扮強盜闖到李家，將李乙殺死。李妻藏在床下認出是王甲，便向官府告發。王甲被抓後很快招供，但他不死心，讓兒子到京城翻案。他兒子到京城用錢買通了一個訟師，在訟師的安排下，殺死李乙之事很快由兩個被抓的海盜頂了罪，於是王甲被無罪釋放。正當他得意洋洋到達家門口，一陣冷風吹過，李乙鬼魂現身，王甲被嚇死。之後，故事開始進入曲折的弄假成真的案件中。浙江溫州有個王生，一天喝醉了酒回家，見家人正與一個提籃賣薑的老漢為了價錢爭個不休，老漢想扯住王生評理，王生乘着酒勁打了那賣薑的。不料

---

1 覆盆：反過來放的盆子，裏面照不到陽光，形容有冤無處訴。

那人被打倒後，竟昏了過去。王生嚇得酒也醒了，和家人們慌忙把老漢架進屋裏，一通撫胸捶背，老漢才悠悠醒轉。王生賠着不是，軟語相慰，擺酒菜款待壓驚，最後又取出一匹白絹、二兩銀子，作為賠償，這件事算告一段落。天黑時分，門外卻傳來敲門聲。渡口船家周四深夜來訪，告訴王生，那位賣薑老漢上船以後，痰火病突發死了。臨死前將白絹、竹籃交給周四，託他告官，並給家屬報信。王生大驚失色。為免官府追究，王生傾其所有，賄賂了周四一百兩銀子。趁着天黑，又與胡阿虎等人把周四船裏的死屍偷偷埋到了墳地。之後，周四不時上門敲詐，王生只得又湊了一筆錢給周四，但還是忍不住心驚肉跳。過了一年，一波未平，一波又起。王生的幼女出水痘病危，聽說幾十里外有個馮先生祖傳專治此症，王生急忙派胡阿虎星夜去請。胡阿虎途中貪杯誤事，致使救活不及，王生愛女早夭。王生勃然大怒，掄杖責罰胡阿虎直到皮開肉綻。胡阿虎懷恨在心，決心要報復。一個月後，王生正在家中悶坐，突然闖進幾名差役，將他前拖後扯，押到縣衙堂上。原來是胡阿虎將他打死人的事情向官府告發。王生見到胡阿虎，情知敗露，但心存僥倖，百般狡辯。但是，胡阿虎指出了埋屍地點，周圍鄰居也證明去年王生確實險些打死一個賣薑的。事到如今，王生也不得不招認，自己知道自己逃不過這一劫了，只能在牢房中等死。這天，王家門外來一位不速之客，家人見了嚇得魂飛天外。來人正是賣薑老漢呂大。原來，呂大那天晚上從王生家出去，來到渡口遇見了周四，周四得知老漢剛才的經歷，執意買去了老漢的白絹、竹籃，不料卻上王家門來藉此訛詐。如今老漢做生意賺了些錢，路過此地，特來看望曾善待自己的王生，才得知實情。於是呂大和王妻上官府鳴冤，知縣抓來周四對證，並找來認識呂大的鄰居，結果真相大白，原來是周四敲詐勒索。王生的冤案得以昭雪，最後，周四、胡阿虎死於亂棒之下。王生出獄後發憤讀書，最後中了進士。

評析

　　本篇是整個二拍公案故事中最離奇的一個。入話的故事與正文內容一一相對，只是一個是弄真成假，一個是弄假成真。就故事本身看，起承轉合井井有條，高潮迭起，引人入勝。故事起因於一件小事，王生因為醉酒打傷了呂大，差點殺人，呂大醒後離開，此事告一段落。突然半夜敲門，船家周四手持王生所贈呂大的白絹上門，稱呂大傷重不治死在船上，情節發展出現第一個轉折。王生嚇得忙收買周四，並與僕人胡阿虎連夜忙埋葬了死屍。故事又告一段落。而在這段中，胡阿虎的出現為故事的發展埋下了伏筆。一年後，王生女兒因病死去，他遷怒於胡阿虎，痛打了他，促使本以停滯的情節得以繼續發

展。胡阿虎含恨告發，王生入獄，這是發展中第二個轉折。接下來所有的證據都指向了王生，連王生也認為確實是自己殺人，只能等死了。情節發展到這裏，應該說無法繼續了。但是，隨着呂大的突然出現，所有的情節都發生了逆轉，達到了高潮，真相大白。直到此時，所有人包括王生才知道自己是被冤枉的。於是，重新對證，很快查明真相，周四、胡阿虎被亂棒打死，故事全部結束。整篇故事不僅結構完整，而且環環相扣，王傑是故事的主線，呂大、周四、胡阿虎三條副線緊密配合。作者用巧合和誤會推動了故事情節向前發展，這也是二拍故事最常用的手法，在這篇故事中表現得最為明顯。開始時王生因酒打人是巧合，被打者恰好有痰火病；接下來呂大遇到周四用白絹和竹籃做渡錢是巧合，周四遇到浮屍也是巧合，甚至胡阿虎的被捕也是巧合，連故事結尾都承認，如果不是呂大出現，這將是一個無頭公案，王傑到死也不知自己是被冤枉的。至於誤會，王傑聽信周四胡言認假屍為真屍，胡阿虎以假屍做真屍告發主人，其餘如家僮見呂大認真為假，鄰居認假為真，真真假假，這些誤會推動了情節的發展。但是，不能否認，無論是巧合還是誤會，裏面都有社會現實做基礎，因此具有一定的可信度。本篇故事的不足在於作者的評述過多，影響了情節發展的完整緊湊，比如王生埋屍後作者的插話，使本來撲朔迷離的情節顯得過於直白。

李公佐巧解夢中言　謝小娥智擒船上盜

贊云：

士或巾幗，女或弁冕①。
行不逾閾②，謹能致遠。
睹彼英英，慚斯翦翦。

　　這幾句讚是讚那有智婦人，賽過男子。假如有一種能文的女子，如班婕妤、曹大家、魚玄機、薛校書、李季蘭、李易安、朱淑真之輩，上可以並駕班、揚③，下可以齊驅盧、駱④。有一種能武的女子，如夫人城、娘子軍、高涼洗氏、東海呂母之輩，智略可方韓、白⑤，雄名可賽關、張⑥。有一種善能識人的女子，如卓文君、紅拂妓、王渾妻鍾氏、韋皋妻母苗氏之輩，俱另具法眼，物色塵埃。有一種報仇雪恥女子，如孫翊妻徐氏、董昌妻申屠氏、龐娥親、鄒僕婦之輩，俱中懷膽智，力殲強梁。又有一種希奇作怪，女扮為男的女子，如花木蘭、南齊東陽婁逞、唐貞元孟嫗、五代臨邛黃崇嘏，俱以權濟變⑦，善藏其用，竄身仕宦，既

---

1 弁冕：古代時男人戴的帽子。
2 閾：門檻。
3 班、揚：指漢代著名文學家班固、揚雄。
4 盧、駱：唐代著名文學家盧照鄰、駱賓王。
5 韓、白：漢代名將韓信和秦朝名將白起。
6 關、張：三國時蜀國大將關羽、張飛。
7 以權濟變：隨機應變。

不被人識破，又能自保其身，多是男子漢未必做得來的，算得是極巧極難的了。而今更說一個遭遇大難、女扮男身、用盡心機、受盡苦楚、又能報仇、又能守志、一個絕奇的女人，真個是千古罕聞。有詩為證：

> 俠概惟推古劍仙，除兇雪恨只香煙。
> 誰知估客生奇女，隻手能翻兩姓冤。

這段話文，乃是唐元和年間，豫章郡有個富人姓謝，家有巨產，隱名在商賈間。他生有一女，名喚小娥，生八歲，母親早喪。小娥雖小，身體壯碩如男子形。父親把他許了歷陽一個俠士，姓段名居貞。那人負氣仗義，交遊豪俊，卻也在江湖上做大賈。謝翁慕其聲名，雖是女兒尚小，卻把來許下了他。兩姓合為一家，同舟載貨，往來吳楚之間。兩家弟兄、子侄、僮僕等眾，約有數十餘人，盡在船內。貿易順濟，輜重充盈。如是幾年，江湖上多曉得是謝家船，昭耀耳目。

此時小娥年已十四歲，方才與段居貞成婚。未及一月，忽然一日，舟行至鄱陽湖口，遇着幾隻江洋大盜的船，各執器械，團團圍住。為頭的兩人，當先跳過船來，先把謝翁與段居貞一刀一個，結果了性命。以後眾人一齊動手，排頭殺去。總是一個船中，躲得在那裏？間有個把慌忙奔出艙外，又被盜船上人拿去殺了。或有得跳在水中，只好圖得個全屍，湖水溜急，總無生理。謝小娥還虧得溜撒[1]，乘眾盜殺人之時，忙自去攛在舵上，一個

---

1 溜撒：機靈。

失腳，跌下水去了。眾盜席捲舟中財寶金帛一空，將死屍盡拋在湖中，棄船而去。

小娥在水中漂流，恍惚之間，似有神明護持，流到一隻漁船邊。漁人夫妻兩個，撈救起來，見是一個女人，心頭尚暖，知是未死，拿幾件破衣破襖替他換下濕衣，放在艙中眠着。小娥口中泛出無數清水，不多幾時，醒將轉來。見身在漁船中，想着父與夫被殺光景，放聲大哭。漁翁夫婦問其緣故，小娥把湖中遇盜，父夫兩家人口盡被殺害情由，說了一遍。原來謝翁與段俠士之名著聞江湖上，漁翁也多曾受他小惠過的，聽說罷，不勝驚異，就權留他在船中。調理了幾日，小娥覺得身子好了。他是個點頭會意①的人，曉得漁船上生意淡薄，便想道："我怎好攪擾得他？不免辭謝了他，我自上岸，一路乞食，再圖安身立命之處。"

小娥從此別了漁翁夫婦，沿途抄化②。到建業上元縣，有個妙果寺，內是尼僧。有個住持叫淨悟，見小娥言語伶俐，說着遭難因由，好生哀憐，就留他在寺中，心裏要留他做徒弟。小娥也情願出家，道："一身無歸，畢竟是皈依佛門，可了終身。但父夫被殺之仇未復，不敢便自落髮，且隨緣度日，以待他年再處。"小娥自此日間在外乞化，晚間便歸寺中安宿。晨昏隨着淨悟做功課，稽首佛前，心裏就默禱，祈求報應。

只見一個夜間，夢見父親謝翁來對他道："你要曉得殺我的人姓名，有兩句謎語，你牢牢記着：'車中猴，門東草'。"說

---

1 點頭會意：聰明懂事。

2 抄化：要飯。

罷，正要再問，父親撒手而去。大哭一聲，颯然驚覺。夢中這語，明明記得，只是不解。隔得幾日，又夢見丈夫段居貞來對他說：“殺我的人姓名，也是兩句謎語：‘禾中走，一日夫’。”小娥連得了兩夢，便道：“此是亡靈未漏，故來顯應。只是如何不竟把真姓名說了，卻用此謎語？想是冥冥之中，天機不可輕泄，所以如此。如今既有這十二字謎語，必有一個解說。雖然我自家不省得，天下豈少聰明的人？不問好歹，求他解說出來。”

遂走到淨悟房中，說了夢中之言。就將一張紙，寫着十二字，藏在身邊了。對淨悟道：“我出外乞食，逢人便拜求去。”淨悟道：“此間瓦官寺有個高僧，法名齊物，極好學問，多與官員士大夫往來。你將此十二字到彼求他一辨，他必能參透。”小娥依言，徑到瓦官寺求見齊公。稽首畢，便道：“弟子有冤在身，夢中得十二字謎語，暗藏人姓名，自家愚懵，參解不出，拜求老師父解一解。”就將袖中所書一紙，雙手遞與齊公。齊公看了，想着一會，搖首道：“解不得，解不得。但老僧此處來往人多，當記着在此，逢人問去。倘遇有高明之人解得，當以相告。”小娥又稽首道：“若得老師父如此留心，感謝不盡。”自此謝小娥沿街乞化，逢人便把這幾句請問。齊公有客來到，便舉此謎相商；小娥也時時到寺中問齊公消耗。如此多年，再沒一個人解得出。說話的，若只是這樣解不出，那兩個夢不是枉做了？看官，不必性急，凡事自有個機緣。此時謝小娥機緣未到，所以如此。機緣到來，自然遇着巧的。

卻說元和八年春，有個洪州判官李公佐，在江西解任，扁舟東下，停泊建業，到瓦官寺遊耍。僧齊公一向與他相厚，出來接陪了，登閣眺遠，談說古今。語話之次，齊公道："檀越①博聞閱覽，今有一謎語，請檀越一猜！"李公佐笑道："吾師好學，何至及此稚子戲？"齊公道："非是作戲，有個緣故。此間孀婦謝小娥示我十二字謎語，每來寺中求解，說道中間藏着仇人名姓。老僧不能辨，遍示來往遊客，也多懵然，已多年矣。故此求明公一商之。"李公佐道："是何十二字？且寫出來，我試猜看。"齊公就取筆把十二字寫出來，李公佐看了一遍道："此定可解，何至無人識得？"遂將十二字唸了又唸，把頭點了又點，靠在窗檻上，把手在空中畫了又畫。默然凝想了一會，拍手道："是了，是了！萬無一差。"齊公速要請教，李公佐道："且未可說破，快去召那個孀婦來，我解與他。"齊公即叫行童②到妙果寺尋將謝小娥來。齊公對他道："可拜見了此間官人。此官人能解謎語。"小娥依言，上前拜見了畢。公佐開口問道："你且說你的根由來。"小娥嗚嗚咽咽哭將起來，好一會說話不出。良久，才說道："小婦人父及夫，俱為江洋大盜所殺。以後夢見父親來說道：'殺我者，車中猴，門東草。'又夢見夫來說道：'殺我者，禾中走，一日夫。'自家愚昧，解說不出。遍問旁人，再無能省悟。歷年已久，不識姓名，報冤無路，銜恨無窮！"說罷又哭。李公佐笑道："不須煩惱。依你所言，下官俱已審詳在此了。"小娥住了哭，求明示。李公佐道："殺汝父者是申蘭，殺汝夫者，是申春。"小娥道："尊官何以解之？"李公佐道："'車中猴'，'車'中去上下各一畫，是'申'字；申屬猴，故曰'車

---

1 檀越：施主。

2 行童：小和尚。

中猴'。‘草’下有‘門’，‘門’中有‘東’，乃‘蘭’字也。又‘禾中走’是穿田過；‘田’出兩頭，亦是‘申’字也。“一日夫’者，‘夫’上更一畫，下一‘日’，是‘春’字也。殺汝父，是申蘭；殺汝夫，是申春，足可明矣。何必更疑？”

齊公在旁聽解罷，撫掌稱快道：“數年之疑，一旦豁然，非明公聰鑒蓋世，何能及此？”小娥愈加慟哭道：“若非尊官，到底不曉仇人名姓，冥冥之中，負了父夫。”再拜叩謝。就向齊公借筆來，將“申蘭、申春”四字寫在內襟一條帶子上了，拆開裏面，反將轉來，仍舊縫好。李公佐道：“寫此做甚？”小娥道：“既有了主名，身雖女子，不問那裏，誓將訪殺此二賊，以復其冤！”李公佐向齊公歎道：“壯哉！壯哉！然此事卻非容易。”齊公道：“‘天下無難事，只怕有心人。’此婦堅忍之性，數年以來，老僧頗識之，彼是不肯作浪語①的。”小娥因問齊公道：“此間尊官姓氏宦族，願乞示知，以識不忘。”齊公道：“此官人是江西洪州判官李二十三郎也。”小娥再三頂禮唸誦，流涕而去。李公佐閣上飲罷了酒，別了齊公，下船解纜，自往家裏。

話分兩頭。卻說小娥自得李判官解辨二盜姓名，便立心尋訪。自念身是女子，出外不便，心生一計，將累年乞施所得，買了衣服，打扮作男子模樣，改名謝保。又買了利刀一把，藏在衣襟底下。想道：“在湖裏遇的盜，必是原在江湖上走，方可探聽消息。”日逐在埠頭伺候，看見船上有僱人的，就隨了去，傭工度日。在船上時，操作勤緊，並不懈怠，人都喜歡僱他。他也不拘一個船上，是僱着的便去。商船上下往來之人，看看多熟了。

---

1 浪語：不負責任的胡説八道。

水火之事①，小心謹秘，並不露一毫破綻出來。但是船到之處，不論那裏，上岸挨身察聽體訪。如此年餘，竟無消耗。

一日，隨着一個商船到潯陽郡，上岸行走，見一家人家竹戶上有紙榜一張，上寫道："僱人使用，願者來投。"小娥問鄰居之兒"此是誰家要僱用人？"鄰人答應"此是申家，家主叫做申蘭，是申大官人。時常要到江湖上做生意，家裏止是些女人，無個得力男子看守，所以僱喚。"小娥聽得"申蘭"二字，觸動其心，心裏便道："果然有這個姓名！莫非正是此賊？"隨對鄰人說道："小人情願投賃傭工，煩勞引進則個。"鄰人道："申家急缺人用，一說便成的；只是要做個東道謝我。"小娥道："這個自然。"

鄰人問了小娥姓名地方，就引了他，一徑走進申家。只見裏邊踱出一個人來，你道生得如何？但見：

> 傴兜怪臉，尖下頦，生幾莖黃鬚；突兀高顴，
> 濃眉毛，壓一雙赤眼。出言如虎嘯，聲撼半天風雨
> 寒；行步似狼奔，影搖千尺龍蛇動。遠觀是喪船上
> 方相，近覷乃山門外金剛。

小娥見了吃了一驚，心裏道："這個人豈不是殺人強盜麼？"便自十分上心。只見鄰人道："大官人要僱人，這個人姓謝名保，也是我們江西人，他情願投在大官人門下使喚。"申蘭道："平日作何生理的？"小娥答應道："平日專在船上趁工度

---

1 水火之事：大小便的隱晦說法。

日，埠頭船上多有認得小人的。大官人去問問看就是。"申蘭家離埠頭不多遠，三人一同走到埠頭來。問問各船上，多說着謝保勤緊小心、志誠老實許多好處。申蘭大喜。小娥就在埠頭一個認得的經紀家裏，借着紙墨筆硯，自寫了傭工文契，寫鄰人做了媒人，交與申蘭收着。申蘭就領了他，同鄰人到家裏來，取酒出來請媒，就叫他陪侍。小娥就走到廚下，掇長掇短，送酒送餚，且是熟分。申蘭取出二兩工銀，先交與他了。又取二錢銀子，做了媒錢。小娥也自梯己①秤出二錢來，送那鄰人。鄰人千歡萬喜，作謝自去了。申蘭又領小娥去見了妻子蘭氏。自此小娥只在申蘭家裏傭工。

小娥心裏看見申蘭動靜，明知是不良之人，想着夢中姓名，必然有據，大分是仇人。然要哄得他喜歡親近，方好探其真確，乘機取事。故此千喚千應，萬使萬當，毫不逆着他一些事故。也是申蘭冤業所在，自見小娥，便自分外喜歡。又見他得用，日加親愛，時刻不離左右，沒一句說話不與謝保商量，沒一件事體不叫謝保營幹，沒一件東西不託謝保收拾，已做了申蘭貼心貼腹之人。因此，金帛財寶之類，盡在小娥手中出入。看見舊時船中掠去錦繡衣服、寶玩器具等物，都在申蘭家裏。正是：見鞍思馬，睹物思人。每遇一件，常自暗中哭泣多時。方才曉得夢中之言有準，時刻不忘仇恨。卻又怕他看出，愈加小心。

又聽得他說有個堂兄弟叫做二官人，在隔江獨樹浦居住。小娥心裏想道："這個不知可是申春否？父夢既應，夫夢必也不差。只是不好問得姓名，怕惹疑心。如何得他到來，便好探

---

1 梯己：私房錢。

聽。"卻是小娥自到申蘭家裏,只見申蘭口說要到二官人家去,便去了經月方回,回來必然帶好些財帛歸家,便分付交與謝保收拾,卻不曾見二官人到這裏來。也有時口說要帶謝保同去走走,小娥曉得是做私商勾當①,只推家裏脫不得身;申蘭也放家裏不下,要留謝保看家,再不提起了。但是出外去,只留小娥與妻蘭氏,與同一兩個丫鬟看守,小娥自在外廂歇宿照管。若是蘭氏有甚差遣,無不遵依停當。闔家都喜歡他,是個萬全可託得力的人了。說話的,你差了。小娥既是男扮了,申蘭如何肯留他一個寡漢伴着妻子在家?豈不疑他生出不伶俐事來?看官,又有一說,申蘭是個強盜中人,財物為重,他們心上有甚麼閨門禮法?況且小娥有心機,申蘭平日畢竟試得他老實頭,小心不過的,不消慮得到此。所以放心出去,再無別說。

且說小娥在家多閒,乘空便去交結那鄰近左右之人,時時買酒買肉,破費錢鈔在他們身上。這些人見了小娥,無不喜歡契厚的。若看見有個把豪氣的,能事了得的,更自十分傾心結納,或周濟他貧乏,或結拜做弟兄,總是做申蘭這些不義之財不着。申蘭財物來得容易,又且信託他的,那裏來查他細帳?落得做人情。小娥又報仇心重,故此先下工夫,結識這些黨羽在那裏。只為未得申春消耗,恐怕走了風,脫了仇人。故此申蘭在家時,幾番好下得手,小娥忍住不動,且待時至而行。

如此過了兩年有多。忽然一日,有人來說:"江北二官人來了。"只見一個大漢同了一夥拳長臂大之人,走將進來,問道:"大哥何在?"小娥應道:"大官人在裏面,等謝保去請出來。"

---

1 作私商勾當:"搶劫"的隱語。

小娥便去對申蘭說了。申蘭走出堂前來道："二弟多時不來了，甚風吹得到此？況且又同眾兄弟來到，有何話說？"二官人道："小弟申春，今日江上獲得兩個二十斤來重的大鯉魚，不敢自吃，買了一壜酒，來與大哥同享。"申蘭道："多承二弟厚意。如此大魚，也是罕物！我輩託神道福祐多年，我意欲將此魚此酒再加些雞肉果品之類，賽一賽神，以謝覆庇，然後我們同散福受用方是；不然只一味也不好下酒。況列位在此，無有我不破鈔，反吃白食的。二弟意下如何？"眾人都拍手道："有理，有理。"申蘭就叫謝保過來見了二官人，道："這是我家僱工，極是老實勤緊可託的。"就分付他，叫去買辦食物。小娥領命走出，一霎時就辦得齊齊整整，擺列起來。申春道："此人果是能事，怪道大哥出外，放得家裏下，原來有這樣得力人在這裏。"眾人都讚歎一番。申蘭叫謝保把福物①擺在一個養家神道前了。申春道："須得寫眾人姓名，通誠一番。我們幾個都識字不透，這事卻來不得。"申蘭道："謝保寫得好字。"申春道："又會寫字，難得，難得。"小娥就走去，將了紙筆，排頭寫來，少不得申蘭、申春為首，其餘各報將名來，一個個寫。小娥一頭寫着，一頭記着，方曉得果然這個叫得申春。

獻神已畢，就將福物收去整理一整理，重新擺出來。大家歡哄飲喫，卻不提防小娥是有心的，急把其餘名字一個個都記將出來，寫在紙上，藏好了。私自歡道："好個李判官！精悟玄鑒，與夢語符合如此！此乃我父夫精靈不漏，天啟其心。今日仇人都在，我志將就了。"急急走來伏侍，只揀大碗頻頻斟與蘭、春二

---

1 福物：祭祀用的酒肉。

人。二人都是酒徒，見他
如此殷勤，一發喜歡，大
碗價只顧吃了，那裏猜他
有甚別意？天色將晚，眾
賊俱已酣醉。各自散去。
只有申春留在這裏過夜，
未散。小娥又滿滿斟了熱
酒，奉與申春道："小人
謝保，到此兩年，不曾伏
侍二官人，今日小人借花
獻佛，多敬一杯。"又斟
一杯與申蘭道："大官人
請陪一陪。"申春道："好個謝保，會說會勸！"申蘭道："我
們不要辜負他孝敬之意，儘量多飲一杯才是。"又與申春說謝保
許多好處。小娥謙稱一句，就獻一杯，不乾不住。兩個被他灌得
十分酩酊。原來江邊苦無好酒，群盜只吃的是燒刀子；這一壜是
他們因要盡興，買那真正滴花燒酒，是極狠的。況吃得多了，豈
有不醉之理？

　　申蘭醉極苦熱，又走不動了，就在庭中袒了衣服眠倒了。申
春也要睡，還走得動，小娥就扶他到一個房裏，床上眠好了。走
到裏面看時，原來蘭氏在廚下整酒時，聞得酒香撲鼻，因吃夜
飯，也自吃了碗把。兩個丫頭遞酒出來，各各偷些嚐嚐。女人家
經得多少濃味？一個個伸腰打盹，卻像着了孫行者瞌睡蟲的。小
娥見如此光景，想道："此時不下手，更待何時？"又想道："女
人不打緊，只怕申春這廝未睡得穩，卻是利害。"就拿把鎖，把

申春睡的房門鎖好了。走到庭中，衣襟內拔出佩刀，把申蘭一刀斷了他頭。欲待再殺申春，終究是女人家，見申春起初走得動，只怕還未甚醉，不敢輕惹他。忙走出來鄰里間，叫道：“有煩諸位與我出力，拿賊則個！”鄰人多是平日與他相好的，聽得他的聲音，都走將攏來，問道：“賊在那裏？我們幫你拿去。”小娥道：“非是小可的賊，乃是江洋殺人的大強盜，贓物都在。今被我灌醉，鎖住在房中，須賴人力擒他。”小娥平日結識的好些好事的人在內，見說是強盜，都摩拳擦掌道：“是甚麼人？”小娥道：“就是小人的主人與他兄弟，慣做強盜。家中貨財千萬，都是贓物。”內中也有的道：“你在他家中，自然知他備細不差；只是沒有被害失主，不好鹵莽得。”小娥道：“小人就是被害失主。小人父親與一個親眷，兩家數十口，都被這夥人殺了。而今家中金銀器皿上還有我家名字記號，須認得出。”一個老成的道：“此話是真。那申家蹤跡可疑，身子常不在家，又不做生理，卻如此暴富。我們只是不查得他的實跡，又怕他兇暴，所以不敢發覺。今既有謝小哥做證，我們助他一臂，擒他兄弟兩個送官，等他當官追究為是。”小娥道：“我已手殺一人，只須列位助擒得一個。”

眾人見說已殺了一人，曉得事體必要經官，又且與小娥相好的多，恨申蘭的也不少，一齊點了火把，望申家門裏進來，只見申蘭已挺屍在血泊裏。開了房門，申春鼾聲如雷，還在睡夢。眾人把索子捆住，申春還掙扎道：“大哥不要取笑。”眾人罵他：“強盜！”他兀自未醒。眾人捆好了，一齊闖進內房來。那蘭氏飲酒不多，醒得快。驚起身來，見了眾人火把，只道是強盜來了，口裏道：“終日去打劫人，今日卻有人來打劫了。”眾人聽得，一發道是謝保之言為實。喝道："胡說！誰來打劫你家？你家強盜事發了。"也把藺氏與兩個丫鬟拴將起來。藺氏道："多是丈夫與叔叔做的事，須與奴家無干。"眾人道："說不得，自到當官去對。"此時小娥恐人多搶散了贓物，先已把平日收貯之處安頓好了，鎖閉着。明請地方加封，告官起發。

　　鬧了一夜，明日押進潯陽郡來。潯陽太守張公升堂，地方人等解到一干人犯：小娥手執首詞，首告人命強盜重情。此時申春宿酒已醒，明知事發，見對理的卻是謝保，曉得哥哥平日有海底眼①在他手裏，卻不知其中就裏，亂喊道："此是傭工背主，假捏出來的事。"小娥對張太守指着申春道："他兄弟兩個為首，十年前殺了豫章客謝、段二家數十人，如何還要抵賴？"太守道："你敢在他家傭工，同做此事，而今待你有些不是處，你先出首了麼？"小娥道："小人在他家傭工，止得二年。此是他十年前事。"太守道："這等，你如何曉得？有甚憑據？"小娥道："他家中所有物件，還有好些是謝、段二家之物，即此便是憑據。"太守道："你是謝家何人？卻認得是？"小娥道："謝是小人父家，段是小人夫家。"太守道："你是男子，如何說是夫家？"小娥道："爺爺聽稟：小婦人實是女人，不是男子。只因兩家都被二盜所殺，小婦人擲入水中，遇救得活。後來父、夫託夢，說殺人姓名乃是十二個字謎，解說不出。遍問識者，無人參破。幸有洪州李判官，解得是申蘭、申春。小婦人就改妝作男子，遍歷江湖，尋訪此二人。到得此郡，有出榜僱工者，問是申蘭，小婦人有心，就投了他家。看見他出沒蹤跡，又認識舊物，明知他是大盜，殺父的仇人。未見申春，

---

1 海底眼：憑證。

不敢動手。昨日方才同來飲酒，故此小婦人手刃了申蘭，叫破地方同擒了申春。只此是實。”太守見說得希奇，就問道：“那十二字謎語如何的？”小娥把十二字唸了一遍。太守道：“如何就是申蘭、申春？”小娥又把李公佐所解之言，照前述了一遍。太守連連點頭道：“是，是，是。快哉李君，明悟若此！他也與我有交，這事是真無疑。但你既是女人扮作男子，非止一日，如何得不被人看破？”小娥道：“小婦人冤仇在身，日夜提心吊膽，豈有破綻露出在人眼裏？若稍有洩漏，冤仇怎報得成？”太守心中歎道：“有志哉，此婦人也！”

又喚地方人等起來，問着事由。地方把申家向來蹤跡可疑，及謝保兩年前僱工，昨夜殺了申蘭，協同擒了申春並他家屬，今日解府的話，備細述了一遍。太守道：“贓物何在？”小娥道：“贓物向託小婦人掌管，昨夜跟同地方，封好在那裏。”太守即命公人押了小娥，與同地方到申蘭家起贓。金銀財貨，何止千萬！小娥俱一一登有簿籍，分毫不爽，即時送到府堂。太守見金帛滿庭，知盜情是實，把申春嚴刑拷打，蘭氏亦加拶指①，都抵賴不得，一一招了。太守又究餘黨，申春還不肯說，只見小娥袖中取出所抄的名姓，呈上太守道：“這便是群盜的名了。”太守道：“你如何知得恁細？”小娥道：“是昨日叫小婦人寫了連名賽神的。小婦人暗自抄記，一人也不差。”太守一發歎賞他能事。便喚申春研問着這些人住址，逐名注明了。先把申春下在牢裏，蘭氏、丫鬟討保②官賣。然後點起兵快，登時往各處擒拿。

---

1 拶指：就是用夾子夾手指的酷刑。

2 討保：找個擔保之人。

正似甕中捉鱉，沒有一個走得脫的。齊齊擒到，俱各無詞。太守盡問成重罪，同申春下在死牢裏。乃對小娥道："盜情已真，不必說了。只是你不待報官，擅行殺戮，也該一死。"小娥道："大仇已報，立死無恨。"太守道："法上雖是如此，但你孝行可嘉，志節堪敬，不可以常律相拘。待我申請朝廷，討個明降，免你死罪。"小娥叩首稱謝。太守叫押出討保。小娥稟道："小婦人而今事蹟已明，不可復與男子混處，只求發在尼庵，聽候發落為便。"太守道："一發說得是。"就叫押在附近尼庵，討個收管，一面聽候聖旨發落。

太守就將備細情節奏上。內云：

> 謝小娥立志報仇，夢寐感通，歷年乃得。明係父仇，又屬真盜。不惟擅殺之條，原情可免；又且矢志之事，核行可旌！云云。元和十二年四月。

明旨批下："謝小娥節行異人，准奏免死，有司旌表其廬。申春即行處斬。"不一日，到潯陽郡府堂開讀了畢。太守命牢中取出申春等死囚來，讀了犯由牌[1]，押付市曹處斬。小娥此時已復了女裝，穿了一身素服，法場上看斬了申春，再到府中拜謝張公。張公命花紅鼓樂，送他歸本里。小娥道："父死夫亡，雖蒙相公奏請朝廷恩典，花紅鼓樂之類，決非孀婦敢領。"太守越敬他知禮，點一官媼，伴送他到家，另自差人旌表。

---

1 犯由牌：古代處死的犯人，押赴刑場時脖子上都插着犯由牌，寫明所犯罪行、姓名和監斬官姓名。

此時哄動了豫章一郡，小娥父夫之族，還有親屬在家的，多來與小娥相見問訊。說起事由，無不悲歡驚異。里中豪族慕小娥之名，央媒求聘的殆無虛日。小娥誓心不嫁，道：「我混跡多年，已非得已；若今日嫁人，女貞何在？寧死不可！」爭奈來纏的人越多了，小娥不耐煩分訴，心裏想道：「昔年妙果寺中，已願為尼，只因冤仇未報，不敢落髮。今吾事已畢，少不得皈依三寶[1]，以了終身。不如趁此落髮，絕了眾人之願。」小娥遂將剪子先將髻子剪下，然後用剃刀剃淨了，穿了褐衣，做個行腳僧打扮，辭了親屬出家訪道，竟自飄然離了本里。里中人越加歎誦，不題。

且說元和十三年六月，李公佐在家被召，將上長安，道經泗濱，有善義寺尼師大德，戒律精嚴，多曾會過，信步往謁。大德師接入客座，只見新來受戒的弟子數十人，俱淨髮鮮披，威儀雍容，列侍師之左右。內中一尼，仔細看了李公佐一回，問師道：「此官人豈非是洪州判官李二十三郎？」師點頭道：「正是。你如何認得？」此尼即泣下數行道：「使我得報家仇，雪冤恥，皆此判官恩德也！」即含淚上前，稽首拜謝。李公佐卻不認得，驚起答拜，道：「素非相識，有何恩德可謝？」此尼道：「某名小娥，即向年瓦官寺中乞食孀婦也。尊官其時以十二字謎語辨出申蘭、申春二賊名姓，尊官豈忘之乎？」李公佐想了一回，方才依稀記起，卻記不全。又問起是何十二字，小娥再唸了一遍，李公佐豁然省悟道：「一向已不記了，今見說來，始悟前事。後來果訪得有此二人否？」小娥因把扮男子，投申蘭，擒申春並餘黨，數年

---

1 三寶：佛教以佛、法、僧為三寶。

經營艱苦之事，從前至後，備細告訴了畢。又道："尊官恩德，無可以報，從今惟有朝夕誦經保祐而已。"李公佐問道："今如何恰得在此處相會？"小娥道："復仇已畢，其時即剪髮披褐，訪道於牛頭山，師事大士庵尼將律師。苦行一年，今年四月始受其戒於泗州開元寺，所以到此。豈知得遇恩人，莫非天也！"李公佐道："即已受戒，是何法號？"小娥道："不敢忘本，只仍舊名。"李公佐歎息道："天下有如此至心女子！我偶然辨出二盜姓名，豈知誓志不捨，畢竟訪出其人，復了冤仇。又且傭保雜處，無人識得是個女人，豈非天下難事！我當作傳以旌其美。"小娥感泣，別了李公佐，仍歸牛頭山。扁舟泛淮，雲遊南國，不知所終。李公佐為撰《謝小娥傳》，流傳後世，載入《太平廣記》。詩云：

> 匕首如霜鐵作心，精靈萬載不銷沉。
> 西山木石填東海，女子銜仇分外深。

又云：
> 夢寐能通造化機，天教達識剖玄微。
> 姓名一解終能報，方信雙魂不浪歸。

串講

　　這是對於一個女子的讚歌。本篇沒有像其他故事一樣在開篇有一個小故事做鋪墊，而是直接進入正文。寫唐朝時有個姓謝的富戶，養有一個女兒叫謝小娥。小娥與段居貞結婚一個月後，全家坐船泛舟鄱陽湖，突然遇到強盜，所有財物被洗劫一空，人都被殺死，只有小娥一人倖免於難。小娥後來被漁民救起，寄居在妙果寺中。一天夜裏，她夢見父親託夢告訴他，強盜的名字是"車中猴，門東草"，過了幾天，又夢見丈夫託夢，告訴他殺死自己的強盜名叫"禾中走，一日夫"。小娥醒來，弄不清楚這十二字是什麼意思，於是便記在紙上，遇到有學問的人就請教，但是始終無人能揭開謎底。過了幾年，天下知名的才子李公佐到達當地遊玩，小娥慕名前往，李公佐不愧天下名士，很快解出了答案，他告訴小娥，殺她父親的強盜名叫申蘭，殺她丈夫的叫申春。小娥感激萬分，於是開始私下尋找仇人的下落。她女扮男裝落腳在船上當夥計，四處打聽。一天，船到潯陽郡，見到有人家在招募夥計。小娥隨口問是哪家，當地人告訴她是申蘭。小娥一聽，此人與仇人同名，於是假裝應聘進了申家。迎面碰到一個面惡之人，小娥仔細觀看，認出正是自己的殺父仇人，但是，以她個人之力無法復仇，於是暫時忍耐在申家作了一名家人。為了進一步打探仇人的底細，小娥在申家賣力工作，很快討得申蘭的信任，逐漸將家中的大小事情交給她辦，在內室中，小娥看到了自己家中的財物，更加確認了仇人。同時，小娥還刻意與周圍鄰居打成一片，以便將來能夠有個照應。她始終在尋找機會，要一舉報得家仇。兩年後的一天，申蘭的二弟帶着一群兇悍之人從江北來訪，自報名叫申春，至此，小娥謎語所講的兩個仇人都應驗了。眾強盜要祭祀天地，將個人姓名都寫在紙上，小娥前後奔忙，乘機將每人姓名都記下了。酒席上，小娥假意殷勤勸酒，很快就把眾強盜都灌醉了，申家的其他人也喝得酩酊大醉。小娥一看機會到了，於是拿起刀來，先殺了申蘭，想再殺申春已力不從心，於是招呼眾鄰居將眾強盜拿到官府，申訴自己滿門被殺的血海深仇。太守審問緣故，於是小娥將前後經過講明，並表明自己是個女子，還拿出被申蘭搶走的自家財物做證。太守連連稱奇，申春等人也一一招供，於是將強盜們全部問斬，謝小娥終於報得大仇。此事轟動天下，小娥受到大家的景仰，很多人都想求婚，於是她出家做了尼姑。過了幾年，李公佐路過一個寺廟，遇到了小娥，聽她講了報仇故事，感慨萬分，撰寫了《謝小娥傳》流傳天下。

評析

　　塑造了一個堅忍不拔、機智勇敢的女性形象，這是本篇故事最大的成就。本篇是根據唐傳奇《謝小娥傳》敷衍而成，原來只有幾百字，經作者改編，顯得更加曲折離奇，而且把李公佐也作為小說人物出現。故事的重點在復仇，因此對結仇只做了簡要陳述，就開始進入重點，小娥的性格也在復仇的故事中逐漸豐富、形象也愈加飽滿起來。復仇分為兩個階段，一個是尋仇，一個是報仇。前一階段重點塑造了小娥堅忍不拔的毅力，作為一個弱女子，在家破人亡後，所依靠的只有夢中得來的十二個字，這種情況很多人會放棄，但是小娥幾年間不斷尋訪，終於遇到了李公佐，揭開了謎語。這應該是柳暗花明了，但是人海茫茫，找兩個人如同大海撈針，但是小娥決不放棄，女扮男裝在江湖中尋找，幾年都是如此，如此毅力不能不讓人佩服。最終，小娥終於找到了仇人，故事開始進入報仇階段。這一階段着重刻畫小娥的機智，她知道自己無法對抗強大的仇人，只能忍耐尋找機會。於是便假裝傭工混進了申家，她一邊查得贓物，一邊與鄰居們打成一片互為呼應。在眾強盜敬神時，她一一記下他們的姓名，又用酒灌醉強盜，並且自己手刃一賊，最後終於報仇雪恨。整個過程中，小娥的智慧是她復仇成功的關鍵，抓賊一段最能體會這一點。等機會來臨後，小娥務求一網打盡，而且要做到人贓俱獲，她的對手是十幾個大漢，環境是在賊窩中，但她處變不驚，冷靜從容，最終達到目的，不能不叫人驚歎。小娥機智性格的塑造還是在與強盜的愚蠢對比下顯示出來。開始時她能在強盜圍攻下奇跡般的逃生，混入申家又很快成為申蘭的心腹，到最後被殺還不知怎麼死的。在智慧與愚蠢的對比中，智慧顯得格外奪目。引人注意的是，作者在敘述這個弱女子大報仇時，沒有快意

恩仇的驚心動魄，而是採取了完全客觀地敘述手法，寫得簡練卻層次分明，條理井然，這種敘述造成一種真實感，類似於今天的客觀報導。但是，在整個敘述過程中，作者很注意掌握節奏，情節發展上採取了欲擒故縱的方法。故事的高潮應該是擒賊復仇，但是作者在這之前濃墨重彩地寫盡了十二字謎底揭迷的過程，使情節顯得極為豐富，為後來的高潮來臨做足了噱頭，使讀者對後面的情節充滿了期待，也使故事更加耐人回味。報仇後的尾聲，也為人物的結局做了一個交代，整個故事井井有條，沒有了二拍其他故事中作者過多的評論和插話，比之唐傳奇更加令人拍案稱奇。

張員外義撫螟蛉[1]子　　包龍圖智賺合同文

詩曰：

> 得失枯榮總在天，機關用盡也徒然。
> 人心不足蛇吞象，世事到頭螳捕蟬。
> 無藥可延卿相壽，有錢難買子孫賢。
> 甘貧守分隨緣過，便是逍遙自在仙。

　　話說大梁有個富翁姓張，妻房已喪，沒有孩兒，止生一女，招得個女婿。那張老年紀已過六十，因把田產家緣盡交女婿，並做了一家，賴其奉養，以為終身之計。女兒女婿也自假意奉承，承顏順旨，他也不作生兒之望了。不想已後，漸漸疏懶，老大不堪。忽一日在門首閒立，只見外孫走出來尋公公吃飯。張老便道：「你尋我吃飯麼？」外孫答道：「我尋自己的公公，不來尋你。」張老聞得此言，滿懷不樂。自想道：「『女兒落地便是別家的人』，果非虛話。我年紀雖老，精力未衰，何不娶個偏房？倘或生得一個男兒，也是張門後代。」隨把自己留下餘財，央媒娶了魯氏之女。成婚未久，果然身懷六甲，方及周年，生下一子。張老十分歡喜，親戚之間，都來慶賀。惟有女兒女婿，暗暗地煩惱。張老遂將兒子取名一飛，眾人皆稱他為張一郎。

　　又過了一二年，張老患病，沉重不起，將及危急之際，寫下

---

1 螟蛉：古人認為螺蠃不能產子，而是將一種叫螟蛉的捉放在窩中餵養，因此用螟蛉比喻義子。

遺書二紙，將一紙付與魯氏道：“我只為女婿、外孫不孝，故此娶你做個偏房。天可憐見，生得此子，本待把家私盡付與他，爭奈他年紀幼小，你又是個女人，不能支持門戶，不得不與女婿管理。我若明明說破他年要歸我兒，又恐怕他每暗生毒計。而今我這遺書中暗藏啞謎，你可緊緊收藏。且待我兒成人之日，從公告理。倘遇着廉明官府，自有主張。”魯氏依言，收藏過了。張老便叫人請女兒女婿來，囑咐了幾句，就把一紙遺書與他，女婿接過看道：“張一非我子也，家財盡與我婿。外人不得爭佔。”女婿看過大喜，就交付渾家收訖。張老又私把自己餘資與魯氏母子，為日用之費，賃間房子與他居住。數日之內，病重而死。那女婿殯葬丈人已畢，道是家緣盡是他的，夫妻兩口，洋洋得意，自不消說。

卻說魯氏撫養兒子，漸漸長成。因憶遺言，帶了遺書，領了兒子，當官告訴。爭奈官府都道是親筆遺書，既如此說，自應是女婿得的。又且那女婿有錢買囑，誰肯與他分剖？親戚都為張一飛不平，齊道：“張老病中亂命，如此可笑！卻是沒做理會處。”又過了幾時，換了個新知縣，大有能聲。魯氏又領了兒子到官告訴，說道：“臨死之時，說書中暗藏啞謎。”那知縣把書看了又看，忽然會意，便叫人喚將張老的女兒、女婿眾親眷們及地方父老都來。知縣對那女婿說道：“你婦翁真是個聰明的人，若不是遺書，家私險被你佔了。待我讀與你聽：張一非，我子也，家財盡與。我婿外人，不得爭佔！’你道怎麼把‘飛’字寫做‘非’字？只恐怕舅子年幼，你見了此書，生心謀害，故此用這機關。如今被我識出，家財自然是你舅子的，再有何說？”當下舉筆把遺書圈斷，家財悉判還張一飛，眾人拱服而散。才曉得張老取名之時，就有心機了。正是：

> 異姓如何擁厚資？應歸親子不須疑。
> 書中啞謎誰能識？大尹神明果足奇。

　　只這個故事，可見親疏分定，縱然一時朦朧，久後自有廉明官府剖斷出來，用不着你的瞞心昧己。如今待小子再宣一段話本，叫做《包龍圖智賺合同文》。你道這話本出在那裏？乃是宋朝汴梁西關外義定坊有個居民劉大，名天祥，娶妻楊氏。兄弟劉二，名天瑞，娶妻張氏，嫡親數口兒，同家過活，不曾分另。天祥沒有兒女，楊氏是個二婚頭，初嫁時帶個女兒來，俗名叫做"拖油瓶"[1]。天瑞生個孩兒，叫做劉安住。本處有個李社長，生一女兒，名喚定奴，與劉安住同年。因為李社長與劉家交厚，從未生時指腹為婚。劉安住二歲時節，天瑞已與他聘定李家之女了。那楊氏甚不賢慧，又私心要等女兒長大，招個女婿，把家私多分與他。因此妯娌間，時常有些說話的。虧得天祥兄弟和睦，張氏也自順氣，不致生隙。

　　不想遇着荒歉之歲，六料[2]不收，上司發下明文，着居民分房減口，往他鄉外府趁熟[3]。天祥與兄弟商議，便要遠行。天瑞道："哥哥年老，不可他出。待兄弟帶領妻兒去走一遭。"天祥依言，便請將李社長來，對他說道："親家在此：只因年歲凶歉，難以度日。上司旨意着居民減口，往他鄉趁熟。如今我兄弟

---

1 拖油瓶：俗指再婚的婦女帶到後夫家的兒女。

2 六料：指米、大麥、小麥、大豆、小豆、芝麻等六種植物，泛指莊稼。

3 趁熟：即逃荒。

三口兒，擇日遠行。我家自來不曾分另，意欲寫下兩紙合同文書，把應有的莊田物件，房廊屋舍，都寫在這文書上。我每各收留下一紙，兄弟一二年回來便罷，若兄弟十年五年不來，其間萬一有些好歹，這紙文書便是個老大的證見。特請親家到來，做個見人，與我每畫個字兒。」李社長應承道：「當得，當得。」天祥便取出兩張素紙，舉筆寫道：

「東京西關義定坊住人劉天祥，弟劉天瑞，幼姪安住，只為六料不收，奉上司文書分房減口，各處趁熟。弟天瑞挈妻帶子，他鄉趁熟。一應家私房產，不曾分另。今立合同文書二紙，各收一紙為照。年月日。立文書人劉天祥。親弟劉天瑞。見人李社長。」

當下各人畫個花押，兄弟二人，每人收了一紙，管待了李社長自別去了。天瑞揀個吉日，收拾行李，辭別兄嫂而行。弟兄兩個，皆各流淚。惟有楊氏巴不得他三口出門，甚是得意。有一隻《仙呂賞花》詩，單道着這事：

兩紙合同各自收，一日分離無限憂。辭故里，
往他州，只為這黃苗不救，可兀的心去意難留。

且說天瑞帶了妻子，一路餐風宿水，無非是：逢橋下馬，過渡登舟。不則一日，到了山西潞州高平縣下馬村。那邊正是豐稔年時，諸般買賣好做，就租個富戶人家的房子住下了。那個富戶張員外，雙名秉彝，渾家郭氏。夫妻兩口，為人疏財仗義，好善樂施，廣有田莊地宅，只是寸男尺女並無，以此心中不滿。見了劉家夫妻，為人和氣，十分相得。那劉安住年方三歲，張員外見他生得眉清目秀，乖覺聰明，滿心歡喜。與渾家商議，要過繼他

做個螟蛉之子。郭氏心裏也正要如此，便央人與天瑞和張氏說道：“張員外看見你家小官人，十二分得意，有心要把他做個過房兒子，通家往來。未知二位意下何如？”天瑞和張氏見富家要過繼他的兒子，有甚不像意處？便回答道：“只恐貧寒，不敢仰攀。若蒙員外如此美情，我夫妻兩口住在這裏，可也增好些光彩哩。”那人便將此話回覆了張員外。張員外夫妻甚是快話，便揀個吉日，過繼劉安住來，就叫他做張安住。那張氏與員外，為是同姓，又拜他做了哥哥。自此與天瑞認為郎舅，往來交厚，房錢衣食，都不要他出了。彼此將及半年，誰想歡喜未來，煩惱又到，劉家夫妻二口，各各染了疫症，一臥不起。正是：

濃霜偏打無根草，禍來只奔福輕人。

張員外見他夫妻病了，視同骨肉，延醫調理，只是有增無減。不上數日，張氏先自死了。天瑞大哭一場，又得張員外買棺殯殮。過了幾日，天瑞看看病重，自知不痊，便央人請將張員外來，對他說道：“大恩人在上，小生有句心腹話兒，敢說得麼？”員外道：“姐夫，我與你義同骨肉，有甚分付，都在不才身上。決然不負所託，但說何妨。”天瑞道：“小生嫡親的兄弟兩口，當日離家時節，哥哥立了兩紙合同文書。哥哥收一紙，小生收一紙。怕有些好歹，以此為證。今日多蒙大恩人另眼相看，誰知命蹇時乖，果然做了他鄉之鬼。安住孩兒幼小無知，既承大恩人過繼，只望大恩人廣修陰德，將孩兒撫養成人長大。把這紙合同文書，分付與他，將我夫妻倆把骨殖埋入祖墳。小生今生不能補報，來生來世情願做驢做馬，報答大恩。是必休迷了孩兒的本姓。"說罷，淚如雨下。張員外也自下淚，滿口應承，又將好言安慰他。天瑞就取出文書，與張員外收了。捱至晚間，瞑目而死。張員外又備棺木衣衾，盛殮已畢，將他夫妻兩口棺木權埋在祖塋之側。

自此撫養安住，恩同己子。安住漸漸長成，也不與他說知就裏，就送他到學堂裏讀書。安住伶俐聰明，過目成誦。年十餘歲，五經子史，無不通曉。又且為人和順，孝敬二親。張員外夫妻珍寶也似的待他。每年春秋節令，帶他上墳，就叫他拜自己父母，但不與他說明緣故。真是光陰似箭，日月如梭。捻指之間，又是一十五年，安住已長成十八歲了。張員外正與郭氏商量要與他說知前事，着他歸宗葬父。時遇清明節令，夫妻兩口，又帶安住上墳。只見安住指着旁邊的土堆問員外道："爹爹年年叫我拜這墳塋，一向不曾問得，不知是我甚麼親眷？乞與孩兒說知。"

張員外道："我兒，我正待要對你說，着你還鄉，只恐怕曉得了自己爹爹媽媽，便把我們撫養之恩，都看得冷淡了。你本不姓張，也不是這裏人氏。你本姓劉，東京西關義定坊居民劉天瑞之子，你伯父是劉天祥。因為你那裏六料不收，分房減口，你父親母親帶你到這裏趁熟。不想你父母雙亡，埋葬於此。你父親臨終時節，

遺留與我一紙合同文書，應有家私田產，都在這文書上。叫待你成人長大與你說知就裏，着你帶這文書去認伯父伯母，就帶骨殖去祖墳安葬。兒呀，今日不得不說與你知道。我雖無三年養育之苦，也有十五年抬舉之恩，卻休忘我夫妻兩口兒。"安住聞言，哭倒在地，員外和郭氏叫喚蘇醒，安住又對父母的墳塋，哭拜了一場道："今日方曉得生身的父母。"就對員外、郭氏道："稟過爹爹母親，孩兒既知此事，時刻也遲不得了，乞爹爹把文書付我，須索帶了骨殖往東京走一遭去。埋葬已畢，重來侍奉二親，未知二親意下何如？"員外道："這是行孝的事，我怎好阻當得你？但只願你早去早回，免使我兩口兒懸望。"

當下一同回到家中，安住收拾起行裝，次日拜別了爹媽。員外就拿出合同文書與安住收了，又叫人啟出骨殖來，與他帶去。臨行，員外又分付道："休要久戀家鄉，忘了我認義父母。"安住道："孩兒怎肯做知恩不報恩！大事已完，仍到膝下侍養。"三人各各灑淚而別。

安住一路上不敢遲延，早來到東京西關義定坊了。一路問到劉家門首，只見一個老婆婆站在門前。安住上前唱了個喏道："有煩媽媽與我通報一聲，我姓劉名安住，是劉天瑞的兒子。問得此間是伯父伯母的家裏，特來拜認歸宗。"只見那婆子一聞此言，便有些變色，就問安住道："如今二哥二嫂在那裏？你既是劉安住，須有合同文字為照。不然，一面不相識的人，如何信得是真？"安住道："我父母十五年前，死在潞州了。我虧得義父撫養到今，文書自在我行李中。"那婆子道："則我就是劉大的渾家，既有文書便是真的了。可把與我，你且站在門外，待我將進去與你伯伯看了，接你進去。"安住道："不知就是我伯娘，多有得罪。"就打開行李,把文書雙手遞將送去。楊氏接得,望着裏邊去了。安住等了半晌不見出來。原來楊氏的女兒已贅過女婿,滿心只要把家緣盡數與他,日夜防的是叔、嬸、侄兒回來。今見說叔嬸俱死,伯侄兩個又從不曾識認,可以欺騙得的。當時賺得文書到手,把來緊緊藏在身邊暗處,卻待等他再來纏時,與他白賴。也是劉安住悔氣,合當有事,撞見了他。若是先見了劉天祥,須不到得有此。

再說劉安住等得氣歎口渴,鬼影也不見一個,又不好走得進去。正在疑心之際,只見前面走將一個老年的人來,問道:"小哥,你是那裏人?為甚事在我門首呆呆站着?"安住道:"你莫非就是我伯伯麼?則我便是十五年前父母帶了潞州去趁熟的劉安住。"那人道:"如此說起來,你正是我的侄兒。你那合同文書安在?"安住道:"適才伯娘已拿將進去了。"劉天祥滿面堆下笑來,攜了他的手,來到前廳。安住倒身下拜,天祥道:"孩兒行路勞頓,不須如此。我兩口兒年紀老了,真是風中之燭。自你三口兒去後,一十五年,杳無音信。我們兄弟兩個,只看你一個人。偌大家私,無人承受,煩惱得我眼也花、耳也聾了。如今幸得孩兒歸來,可喜可喜。但不知父母安否?如何不與你同歸來看我們一看?"安住撲簌簌淚下,就把父母雙亡,義父撫養的事休,從頭至尾說一遍。劉天祥也哭了一場,就喚出楊氏來道:"大嫂,侄兒在此見你哩。"楊氏道:"那個侄兒?"天祥道:"就是十五年前去趁熟的劉安住。"楊氏道:"那個是劉安住?這裏哨子[1]每極多,大分是見我每有些家私,假裝做劉安住來冒認

---

1 哨子:騙子。

的。他爹娘去時，有合同文書。若有便是真的，如無便是假的。有甚麼難見處？"天祥道："適才孩兒說道已交付與你了。"楊氏道："我不曾見。"安住道："是孩兒親手交與伯娘的。怎如此說？"天祥道："大嫂休斗我耍，孩兒說你拿了他的。"楊氏只是搖頭，不肯承認。天祥又問安住道："這文書委實在那裏？你可實說。"安住道："孩兒怎敢有欺？委實是伯娘拿了。人心天理，怎好賴得？"楊氏罵道："這個說謊的小弟子孩兒①，我幾曾見那文書來？"天祥道："大嫂休要鬥氣，你果然拿了，與我一看何妨？"楊氏大怒道："這老子也好糊塗！我與你夫妻之情，倒信不過；一個鐵陌生②的人，倒並不疑心。這紙文書我要他糊窗兒？有何用處？若果姪兒來，我也歡喜，如何肯捎留他的？這花子故意來捏舌，哄騙我們的家私哩。"安住道："伯伯，你孩兒情願不要家財，只要傍着祖墳上埋葬了我父母這兩把骨殖，我便仍到潞州去了。你孩兒須自有安身立命之處。"楊氏道："誰聽你這花言巧語？"當下提起一條杆棒，望着安住劈頭劈臉打將過來，早把他頭兒打破了，鮮血迸流。天祥雖在旁邊解勸，喊道："且問個明白！"卻是自己又不認得姪兒，見渾家抵死不認，不知是假是真，好生委決不下，只得由他。那楊氏將安住叉出前門，把門閉了。正是：

　　黑蟒口中舌，黃峰尾上針。
　　兩般猶未毒，最毒婦人心。

---

1 小弟子孩兒：罵人的話，意即小混蛋。
2 鐵陌生：鐵是語氣助詞，加強之用，這裏指十分陌生。

劉安住氣倒在地多時，漸漸蘇醒轉來，對着父母的遺骸，放聲大哭。又道："伯娘你直下得如此狠毒！"正哭之時，只見前面又走過一個人來，問道："小哥，你那裏人？為甚事在此啼哭？"安住道："我便是十五年前隨父母去趁熟的劉安住。"那人見說，吃了一驚，仔細相了一相，問道："誰人打破你的頭來？"安住道："這不干我伯父事，是伯娘不肯認我，拿了我的合同文書，抵死賴了，又打破了我的頭。"那人道："我非別人，就是李社長。這等說起來，你是我的女婿。你且把十五年來的事情，細細與我說一遍，待我與你做主。"安住見說是丈人，恭恭敬敬，唱了個喏，哭告道："岳父聽稟：當初父母同安住趁熟，到山西潞州高平縣下馬村張秉彝員外家店房中安下，父母染病雙亡。張員外認我為義子，抬舉的成人長大，我如今十八歲了，義父才與我說知就裏，因此擔着我父母兩把骨殖來認伯伯，誰想楊伯娘將合同文書賺的去了，又打破了我的頭，這等冤枉那裏去告訴？"說罷，淚如湧泉。

李社長氣得面皮紫脹，又問安住道："那紙合同文書，既被賺去，你可記得麼？"安住道："記得。"李社長道："你且背來我聽。"安住從頭唸了一遍，一字無差。李社長道："果是我的女婿，再不消說，這虔婆好生無理！我如今敲進劉家去，說得他轉便罷，說不轉時，現今開封府府尹是包龍圖相公，十分聰察。我與你同告狀去，不怕不斷還你的家私。"安住道："全憑岳父主張。"李社長當時敲進劉天祥的門，對他夫妻兩個道："親翁親母，什麼道理，親侄兒回來，如何不肯認他，反把他頭兒都打破了？"楊氏道："這個，社長你不知他是詐騙人的，故來我家裏打渾。他既是我家侄兒，當初曾有合同文書，有你畫的字。若有那文書時，便是劉安住。"李社長道："他說是你賺來藏過了，如何白賴？"楊氏道："這社長也好笑，我何曾見他的？卻是指賊的一般。別人家的事情，誰要你多管！"當下又舉起杆棒要打安住。李社長恐怕打壞了女婿，挺身攔住，領了他出來道："這虔婆使這般的狠毒見識！難道不認就罷了？不到得和你干休！賢婿不要煩惱，且帶了父母的骨殖，和這行囊到我家中將息一晚。明日到開封府進狀。"安住從命隨了岳丈一路到李家來。"李社長又引他拜見了丈母，安排酒飯管待他，又與他包了頭，用藥敷治。

次日侵晨，李社長寫了狀詞，同女婿到開封府來。等了一會，龍圖已升堂了，但見：

> 冬冬衙鼓響，公吏兩邊排。
> 閻王生死殿，東嶽嚇魂臺。

李社長和劉安住當堂叫屈，包龍圖接了狀詞。看畢，先叫李社長上去，問了情由。李社長從頭說了。包龍圖道："莫非是你包攬官司，唆教他的？"李社長道："他是小人的女婿，文書上元有小人花押，憐他幼稚含冤，故此與他申訴。怎敢欺得青天爺爺！"包龍圖道："你曾認得女婿麼？"李社長道："他自三歲離鄉，今日方歸，不曾認得。"包龍圖道："既不認得，又失了合同文書，你如何信得他是真？"李社長道："這文書除了劉家兄弟和小人，並無一人看見。他如今從前至後背來，不差一字，豈不是個老大的證見？"包龍圖又喚劉安住起來，問其情由。安住也一一說了。又驗了他的傷。問道："莫非你果不是劉家之子，借此來行拐騙的麼？”安住道：“老爺，天下事是假難真，如何做得這沒影的事體？況且小人的義父張秉彝，廣有田宅，也夠小人一生受用了。小人原說過情願不分伯父的家私，只要把父母的骨殖葬在祖墳，便仍到潞州義父處去居住。望爺爺青天詳察。”包龍圖見他兩人說得有理，就批准了狀詞，隨即拘喚劉天祥夫婦同來。

包龍圖叫劉天祥上前，問道：“你是個一家之主，如何沒些主意，全聽妻言？你且說那小廝，果是你的侄兒不是？”天祥道，“爺爺，小人自來不曾認得侄兒，全憑着合同為證，如今這小廝抵死說是有的，妻子又抵死說沒有，小人又沒有背後眼睛，為此委決不下。”包龍圖又叫楊氏起來，再三盤問，只是推說不曾看見。包龍圖就對安住道：“你伯父伯娘如此無情，我如今聽憑你着實打他，且消你這口怨氣！”安住惻然下淚道：“這個使不得！我父親尚是他的兄弟，豈有侄兒打伯父之理？小人本為認親葬父行孝而來，又非是爭財競產，若是要小人做此逆倫之事，至死不敢。”包龍圖聽了這一遍說話，心下已有幾分明白。有詩為證：

包老神明稱絕倫，就中曲直豈難分？
當堂不肯施刑罰，親者原來只是親。

當下又問了楊氏幾句，假意道：“那小廝果是個拐騙的，情理難容。你夫妻們和李某且各回家去，把這廝下在牢中，改日嚴刑審問。”劉天祥等三人，叩頭而出。安住自到獄中去了。楊氏暗暗地歡喜，李社長和安住俱各懷着鬼胎，疑心道：“包爺向稱神明，如何今日到把原告監禁？"

　　卻說包龍圖密地分付牢子不許難為劉安住；又分付衙門中人張揚出去，只說安住破傷風發，不久待死。又着人往潞州取將張秉彝來。不則一日，張秉彝到了。包龍圖問了他備細，心下大明。就叫他牢門首見了安住，用好言安慰他。次日，簽了聽審的牌，又密囑咐牢子每臨審時如此如此。隨即將一行人拘到。包龍圖叫張秉彝與楊氏對辯。楊氏只是硬爭，不肯放鬆一句。包龍圖便叫監中取出劉安住來，只見牢子回說道："病重垂死，行動不得。"當下李社長見了張秉彝問明緣故不差，又忿氣與楊氏爭辯了一會。又見牢子們來報道："劉安住病重死了。"那楊氏不知利害，聽見說是"死了"，便道："真死了，卻謝天地，倒免了我家一累！"包爺分付道："劉安住得何病而死？快叫仵作人相視了回話。"仵作人相了，回說，"相得死屍，約年十八歲，大陽穴為他物所傷致死，四周有青紫痕可驗。"包龍圖道："如今卻怎麼處？到弄做個人命事，一發重大了！兀那楊氏！那小廝是你甚麼人？可與你關甚親麼？"楊氏道："爺爺，其實不關甚親。"包爺道："若是關親時節，你是大，他是小，縱然打傷身死，不過是誤殺子孫，不致償命，只罰些銅納贖。既是不關親，你豈不聞得'殺人償命，欠債還錢'？他是各白世人，你不認他罷了，拿甚麼器仗打破他頭，做了破傷風身死。律上說：'毆打平人，因而致死者抵命。'左右，可將枷來，枷了這婆子！下在死囚牢裏，交秋處決，償這小廝的命。"只見兩邊如狼似虎的公人暴雷也似答應一聲，就抬過一面枷來，唬得楊氏面如土色，只得喊道："爺爺，他是小婦人的姪兒。"包龍圖道："既是你姪兒，有何憑據？"楊氏道："現有合同文書為證。"當下身邊摸出文書，遞與包公看了。正是：

> 本說的丁一卯二，生扭做差三錯四。
> 略用些小小機關，早賺出合同文字。

　　包龍圖看畢，又對楊氏道："劉安住既是你的侄兒，我如今着人抬他的屍首出來，你須領去埋葬，不可推卻。"楊氏道："小婦人情願殯葬侄兒。"包龍圖便叫監中取出劉安住來，對他說道："劉安住，早被我賺出合同文字來也！"安住叩頭謝道："若非青天老爺，真是屈殺小人！"楊氏抬頭看時，只見容顏如舊，連打破的頭都好了。滿面羞慚，無言抵對。包龍圖遂提筆判曰：

　　"劉安住行孝，張秉彝施仁，都是罕有，俱各旌表門閭。李社長着女夫擇日成婚。其劉天瑞夫妻骨殖准葬祖塋之側。劉天祥朦朧不明，念其年老免罪。妻楊氏本當重罪，罰銅准贖。楊氏贅婿，原非劉門瓜葛，即時逐出，不得侵佔家私！"

　　判畢，發放一干人犯，各自還家。眾人叩頭而出。

　　張員外寫了通家名帖，拜了劉天祥，李社長先回潞州去了。劉天祥到家，將楊氏埋怨一場，就同侄兒將兄弟骨殖埋在祖塋已畢。李社長擇個吉日，贅女婿過門成婚。一月之後，夫妻兩口，同到潞州拜了張員外和郭氏。已後劉安住出仕貴顯，劉天祥、張員外俱各無嗣，兩姓的家私，都是劉安住一人承當。可見榮枯分定，不可強求。況且骨肉之間，如此昧己瞞心，最傷元氣。所以宣這個話本，奉戒世人，切不可為着區區財產，傷了天性之恩。有詩為證：

螟蛉義父猶施德，骨肉天親反弄奸。
日後方知前數定，何如休要用機關。

串講

　　這是寫家庭內部為了爭家產反目成仇的故事。開篇寫知縣通過張老漢的一紙遺書斷案，將老漢女兒女婿侵佔的家產判給了老漢年幼的兒子，顯示了這知縣的聰明公正。故事正文寫的是宋朝有一戶劉姓人家，兄弟二人同在一塊生活，老大的妻子是後娶的，心術不正，帶過來一個女兒。老二則有個兒子，叫劉安住，從小與李社長的女兒定下親事。這一年遇上災荒，官府疏散人口，老二憐惜大哥身體不好，決定自己家出外逃荒。臨走前請李社長做公證，寫下兩份合同，將家產寫明，兄弟倆各留一份。老二全家逃荒到山西，投靠在當地一個姓張的富戶家中做工。張老漢沒有子女，一向仗義疏財，十分疼愛年幼的安住，於是認他做了義子，兩家人處得十分快樂。不久，安住的父母雙雙染病身亡，臨死前將安住託付給張老漢，並將家產合同一併交給他。張老漢兩口子撫養安住長大成人，等到十八歲時，告訴了他事情的真相，並讓他回鄉認祖歸宗。安住這才知道自己的張老漢不是自己的生身父母，決定帶着親生父母的骨灰回鄉看看，於是拜別張家，回到了老家。這一天他打聽到伯父家的下落，便上門詢問，接待他的正是大娘楊婆，她一心想把家產留給自己的女兒女婿，見侄兒找上門，便藉故要看合同文本，誰知拿到後便將劉安住拒之門外。安住等了又等，等來了自己的大伯，大伯要認下安住，楊婆卻說他是個騙子，沒有憑據瞎認，還將安住亂棒打出。安住氣得放聲大哭，這時遇到了自己的丈人李社長。李社長聽安住背下合同上的文字後，確認了是自己的女婿，於是一紙訴狀告到了包公那裏。包公開堂審問，但是楊婆死不認帳，令人毫無辦法。包公聽完之後，心中已有分寸。他假裝怒斥安住是騙子，還將他收入牢中。之後一邊派人渲染安住被楊婆打的傷口化膿將要死了，暗地裏接來張老漢問明情況。重新開堂審理，包公假稱安住因楊婆毒打而死，如果是親屬可以無事，但如果沒有關係則要拿楊婆問罪。楊婆嚇得忙稱安住是自己的侄子，並拿出合同文本作證，結果正中包公下懷，真相大白，安住終於得以認祖歸宗。後來，安住作了大官，張家、劉家財產也都歸屬他名下。

評析

　　這是公案小說中比較有名的一篇。作者創作的意圖是要宣揚"得失枯榮總在天，機關用盡也徒然"的宿命觀點，告誡人們"甘貧守分隨緣過"的逆來順受的生活觀。但是，因為寫的是為了爭奪家產親人翻臉的社會倫理故事，又因主審官是包公包龍圖的緣故，因而流傳很廣。故事的矛盾衝突是由發生大災開始的，由於災荒，"上司發下明文，着居民分房減口，往他鄉外府趁熟"，這就迫使劉天瑞全家逃荒離開。離開前簽定的家產合同，成為小說情節發展

的重要線索，以後所有的故事情節都是圍繞爭奪它展開的。通過爭奪它，刻畫了以楊婆為代表的見利忘義、貪婪狠毒的性格。劉二夫妻的死使楊婆可以肆無忌憚地侵吞劉家的財產，她利用安住的年輕善良，騙去了合同。而安住、李社長爭奪它，是因為這是安住身份的證明，是認祖歸宗的關鍵。包公爭奪它，是因為這能還事情的真相，還安住的清白。於是，圍繞着合同，矛盾衝突一再發展。先是楊婆奪走合同，出現第一次轉折；然後是劉天祥見到安住，以為矛盾可以在家庭內部解決，但是安住卻被毒打，這是第二次轉折；李社長以調解人的身份再次出面，結果也歸於失敗。到此，只有讓官府判案了，小說結構也過渡到包龍圖智審斷案的主體部分。面對這種複雜的家產糾紛，包龍圖顯示出了他青天的本色，採用智取，用詐的手段，先是假裝訓斥李社長和安住誣陷，通過他們的辯白，瞭解了基本情況；然後，讓劉安住打劉氏老夫婦出氣，安住不忍心，又進一步證實了他們的親屬關係。第三步則精心設計安住詐死，因死而追究傷人者責任，這就歸咎到楊婆打人，給出了她兩難的選擇，一是不認侄兒但自己要承擔罪責，一是認了侄兒免罪，在認為侄子已死的情況下，楊婆當然認下了侄兒，並主動交出合同為證，結果落入包公的設計，使這自以為聰明的刁婦受到無情的嘲弄。

二刻拍案驚奇

李將軍錯認舅　劉氏女詭從夫

詩云：

> 在天願為比翼鳥，在地願為連理枝。
> 天長地久有時盡，此恨綿綿無絕期。

　　這四句乃是白樂天①《長恨歌》中之語。當日只為唐明皇與楊貴妃七月七日之夜，在長生殿前對天發了私願：願生生世世得為夫婦。後來馬嵬之難，楊貴妃自縊，明皇心中不捨，命鴻都道士求其魂魄。道士凝神御氣，見之玉真仙宮，道是因為長生殿前私願，還要復降人間，與明皇做來生的夫婦。所以白樂天述其事，做一篇《長恨歌》，有此四句。蓋謂世間惟有願得成雙的，隨你天荒地老，此情到底不泯也。

　　小子而今先說一個不願成雙的古怪事，做個得勝頭回②。宋時唐州比陽，有個富人王八郎，在江淮做大商，與一個娼妓往來得密。相與日久，勝似夫妻。每要取他回家，家中先已有妻子，甚是不得意。既有了娶娼之意，歸家見了舊妻時，一發覺得厭憎，只管尋是尋非，要趕逐妻子出去。那妻子是個乖巧的，見不是頭，也就懷着二心，無心戀着夫家。欲待要去，只可惜先前不曾留心積攢得些私房，未好便輕易走動。其時身畔有一女兒，年止數歲，把他做了由頭，婉辭哄那丈夫道："我嫁你已多年了，

---

1 白樂天：即唐代詩人白居易。
2 得勝頭回：簡稱"頭回"或入話，是宋、元時說書人在講述正文前先鋪墊的小故事。

女兒又小，你趕我出去，叫我那裏去好？我決不走路的。"口裏如此說，卻日日打點出去的計較。

後來王生竟到淮上，帶了娼婦回來。且未到家，在近巷另賃一所房子，與他一同住下。妻子知道，一發堅意要去了，把家中細軟①盡情藏過，狼犺傢伙什物②多將來賣掉。等得王生歸來，家裏椅桌多不完全，箸長碗短，全不似人家模樣。方知盡是妻子敗壞了，一時發怒道："我這番決留你不得了，今日定要決絕！"妻子也奮然攘臂道："我曉得到底容不得我，只是要我去，我也要去得明白。我與你當官休去！"當下扭住了王生雙袖，一直嚷到縣堂上來。知縣問着備細，乃是夫妻兩人彼此願離，各無繫戀。取了詞，畫了手模，依他斷離了，家事對半分開，各自度日。妻若再嫁，追產還夫。所生一女，兩下爭要。妻子訴道："丈夫薄倖，寵娼棄妻，若留女兒與他，日後也要流落為娼了。"知縣道他說得是，把女兒斷與妻子領去，各無詞說。出了縣門，自此兩人各自分手。

王生自去接了娼婦，到家同住。妻子與女兒另在別村去買一所房子住了，買些瓶罐之類，擺在門前，做些小經紀。他手裏本自有錢，恐怕丈夫他日還別是非，故意妝這個模樣。一日，王生偶從那裏經過，恰好妻子在那裏搬運這些瓶罐，王生還有些舊情不忍，好言對他道："這些東西能進得多少利息，何不別做些什麼生意？"其妻大怒，趕着罵道："我與你決絕過了，便同路人。要你管我怎的！來調甚麼喉嗓？"王生老大沒趣，走了回

---

1 細軟：有價值便於攜帶的物品。
2 狼犺傢伙什物：笨重的家具物品。

來，自此再不相問了。

過了幾時，其女及笄①，嫁了方城田家。其妻方將囊中蓄積搬將出來，盡數與了女婿，約有十來萬貫，皆在王家時瞞了丈夫所藏下之物。也可見王生固然薄倖有外好，其妻原也不是同心的了。

後來王生客死淮南，其妻在女家亦死。既已殯殮，將要埋葬，女兒道：“生前與父不合，而今既同死了，該合做了一處，也是我女兒每孝心。”便叫人去淮南迎了喪柩歸來，重復開棺，一同母屍，各加洗滌，換了衣服，兩屍同臥在一榻之上，等天明時刻了，下了棺，同去安葬。安頓好了，過了一會，女兒走來看看，吃了一驚。兩屍先前同是仰臥的，今卻東西相背，各向了一邊。叫聚合家人多來看着，盡都駭異。有的道：“眼見得生前不合，死後還如此相背。”有的道：“偶然那個移動了，那裏有死屍會掉轉來的？”女兒啼啼哭哭，叫爹叫娘，仍舊把來仰臥好了。到得明日下棺之時，動手起屍，兩個屍骸仍舊多是側眠着，兩背相向的，方曉得果然是生前怨恨之所致也。女兒不忍，畢竟將來同葬了，要知他們陰中也未必相安的。此是夫婦不願成雙的榜樣，比似那生生世世願為夫婦的差了多少！

而今說一個做夫妻的被拆散了，死後精靈還歸一處到底不磨滅的話本。可見世間的夫婦，原自有這般情種。有詩為證：

> 生前不得同衾枕，死後圖他共穴藏。
> 信是世間情不泯，韓憑②塚上有鴛鴦。

---

1 及笄：指女子到了出嫁的年齡。

2 韓憑：記於干寶《搜神記》。韓憑，戰國時宋人，與妻子何氏為情同死，葬於一處，塚上生樹，樹上鴛鴦交鳴。

這個話本，在元順帝至元年間，淮南有個民家姓劉，生有一女，名喚翠翠，生來聰明異常，見字便認，五六歲時便能誦讀詩書。父母見他如此，商量索性送他到學堂去，等他多讀些在肚裏，做個不帶冠的秀才。鄰近有個義學①，請着個老學究，有好些生童在裏頭從他讀書，劉老也把女兒送去入學。學堂中有個金家兒子，叫名金定，生來俊雅，又兼賦性聰明。與翠翠一男一女，真是這一堂中出色的了，況又是同年生的，學堂中諸生多取笑他道："你們兩個一般的聰明，又是一般的年紀，後來畢竟是一對夫妻。"金定與翠翠雖然口裏不說，心裏也暗地有些自認，兩下相愛。金生曾做一首詩贈與翠翠，以見相慕之意，詩云：

十二欄杆七寶臺，春風到處豔陽開。
東園桃樹西園柳，何不移來一處栽？

翠翠也依韻和一首答他，詩云：

平生有恨祝英臺，懷抱何為不肯開？
我願東君勤用意，早移花樹向陽栽。

在學堂一年有餘，翠翠過目成誦，讀過了好些書，已後年已漸長，不到學堂中來了。十六歲時，父母要將他許聘人家。翠翠但聞得有人議親，便關了房門，只是啼哭，連粥飯多不肯吃了。父母初時不在心上，後來見每次如此，心中曉得有些尷尬。仔細

---

1 義學：古代公家開設的或私人集資建的學校。

問他，只不肯說。再三委曲盤問，許他說了出來，必定依他。翠翠然後說道："西家金定，與我同年，前日同學堂讀書時，心裏已許下了他。今若不依我，我只是死了，決不去嫁別人的！"父母聽罷，想道："金家兒子雖然聰明俊秀，卻是家道貧窮，豈是我家當門對戶？"然見女兒說話堅決，動不動哭個不住，又不肯飲食，恐怕違逆了他，萬一做出事來，只得許他道："你心裏既然如此，卻也不難。我着媒人替你說去。"劉老尋將一個媒媽來，對他說女兒翠翠要許西邊金家定哥的說話。媒媽道："金家貧窮，怎對得宅上起？"劉媽道："我家翠小娘與他家定哥同年，又曾同學，翠小娘不是他不肯出嫁，故此要許他。"媒媽道："只怕宅上嫌貧不肯，既然肯許，卻有何難？老媳婦一說便成。"

媒媽領命，竟到金家來說親。金家父母見說了，慚愧不敢當，回覆媒媽道："我家甚麼家當，敢去扳①他？"媒媽道："不是這等說！劉家翠翠小娘子心裏一定要嫁小官人，幾番啼哭不食，別家來說的，多回絕了。難得他父母見女兒立志如此，已許下他，肯與你家小官人了。今你家若把貧來推辭，不但失了此一段好姻緣，亦且辜負那小娘子這一片志誠好心。"金老夫妻道："據着我家定哥才貌，也配得他翠小姐過，只是家下委實貧難，那裏下得起聘定？所以容易應承不得。"媒媽道："應承由不得不應承，只好把說話放婉曲些。"金老夫妻道："怎的婉曲？"媒媽道："而今我替你傳去，只說道寒家有子，頗知詩書，貴宅見諭，萬分盛情，敢不從命？但寒家起自蓬蓽，一向貧薄自甘，

---

1 扳：通攀。

若必要取聘問婚娶諸儀，力不能辦，是必見諒，毫不責備，方好應承。如此說去，他家曉得你每下禮不起的，卻又違女兒意思不得。必然是件將就了。"金老夫妻大喜道："多承指教，有勞周全則個。"

媽媽果然把這番話到劉家來覆命，劉家父母愛女過甚，心下只要成事。見媽媽說了金家自揣家貧，不能下禮，便道："自古道，婚姻論財，夷虜之道，我家只要許得女婿好，那在財禮？但是一件，他家既然不足，我女到他家裏，只怕難過日子，除非招入我每家裏做個贅婿，這才使得。"媽媽再把此意到金家去說。這是倒在金家懷裏去做的事，金家有何推託？千歡萬喜，應允不迭。遂憑着劉家揀個好日，把金定招將過去。凡是一應幣帛羊酒之類，多是女家自備了過來。從來有這話的：入舍女婿只帶着一張卵袋走。金家果然不費分毫，竟成了親事。只因劉翠翠堅意看上了金定，父母拗他不得，只得曲意相從。

當日過門交拜，夫妻相見，兩下裏各稱心懷。是夜翠翠於枕上口占一詞，贈與金生道：

> 曾向書齋同筆硯，故人今做新人。洞房花燭十分春。汗沾蝴蝶粉，身惹麝香塵。礙雨尤雲渾未慣，枕邊眉黛羞顰。輕憐痛惜莫辭頻。願郎從此始，日近日相親。——右調《臨江仙》

金生也依韻和一闋道：

> 記得書齋同筆硯，新人不是他人。扁舟來訪武

陵春。仙居鄰紫府，人世隔紅塵。誓海盟山心已
許，幾番淺笑深顰。向人猶自語頻頻。意中無別
意，親後有誰親？（調同前）

　　兩人相得之樂，真如翡翠之在丹霄，鴛鴦之游碧沼，無以過也。
　　誰料樂極悲來，快活不上一年，撞着元政失綱，四方盜起。鹽徒張士誠[1]兄弟起兵高郵，沿海一帶郡縣盡為所陷。部下有個李將軍，領兵為先鋒，到處民間擄掠美色女子。兵至淮安，聞說劉翠翠之名，率領一隊家丁打進門來，看得中意，劫了就走。此時闔家只好自顧性命，抱頭鼠竄，那個敢向前爭得一句？眼睜睜看他擁着去了。金定哭得個死而復生，慾待跟着軍兵蹤跡尋訪他去，爭奈元將官兵，北來征討，兩下爭持，干戈不息，路斷行人。恐怕沒來由走去，撞在亂兵之手死了，也沒說處。只得忍酸含苦，過了日子。
　　至正末年，張士誠氣概弄得大了，自江南江北，三吳兩浙直拓至兩廣益州，盡歸掌握。元朝不能征剿，只得定議招撫。士誠原沒有統一之志，只此局面已自滿足，也要休兵。因遂通款元朝，奉其正朔，封為王爵，各守封疆，民間始得安靜，道路方可通行。金生思念翠翠，時刻不能去心。看見路上好走，便要出去尋訪，收拾了幾兩盤纏，結束[2]了一個包裹，來別了自家父母，對丈人、丈母道：“此行必要訪着妻子蹤跡，若不得見，誓不還家了。”痛哭而去。路由揚州過了長江，進了潤州，風餐水宿，

---

1 張士誠：元末與朱元璋齊名的農民軍將領。
2 結束：捆紮。

夜住曉行，來到平江。聽得路上人說，李將軍見在紹興守禦，急忙趕到臨安，過了錢塘江，趁着西興夜船到得紹興。去問人時，李將軍已調在安豐去屯兵了，又不辭辛苦，問到安豐。安豐人說：“早來兩日，也還在此，而今回湖州駐紮，才起身去的。”金生道：“只怕到湖州時，又要到別處去。”安豐人道：“湖州是駐紮地方，不到別處去了。”金生道：“這等，便遠在天邊，也趕得着。”於是一路向湖州來。

算來金生東奔西走，腳下不知有萬千里路跑過來。在路上也過了好兩個年頭，不能勾見妻子一見，卻是此心再不放懈。於路沒了盤纏，只得乞丐度日，沒有房錢，只得草眠露宿。真正心堅鐵石，萬死不辭。不則一日，到了湖州。去訪問時，果然有個李將軍開府在那裏。那將軍是張王得力之人，貴重用事，勢焰赫奕。走到他門前去看時，好不威嚴。但見：門牆新彩，綮戟[1]森嚴。獸面銅環，並銜而宛轉；彪形鐵漢，對峙以巍峨。門闌上貼着兩片不寫字的桃符，坐墩邊列着一雙不吃食的獅子，雖非天上神仙府，自是人間富貴家。金生到了門首，站立了一回，不敢進去，又不好開言。只是舒頭探腦，望裏邊一望，又退立了兩步，躊躇不決。

正在沒些起倒[2]之際，只見一個管門的老蒼頭走出來，問道：“你這秀才有甚麼事幹？在這門前探頭探腦的，莫不是奸細麼？將軍知道了，不是耍處。”金生對他唱個喏道：“老丈拜揖。”老蒼頭回了半揖道：“有甚麼話？”金生道：“小生是淮

---

1 綮戟：古代官吏出行時作前導的儀仗。

2 沒些起倒：拿不定主意。

安人氏，前日亂離時節，有一妹子失去，聞得在貴府中，所以不遠千里尋訪到這個所在，意欲求見一面。未知確信，要尋個人問一問，且喜得遇老丈。"蒼頭道："你姓甚名誰？你妹子叫名甚麼？多少年紀？說得明白，我好替你查將出來回覆你。"金生把自家真姓藏了，只說着妻子的姓道："小生姓劉，名金定。妹子叫名翠翠，識字通書，失去時節，年方十七歲，算到今年，該有二十四歲了。"老蒼頭點點頭道："是呀，是呀。我府中果有一個小娘子姓劉，是淮安人，今年二十四歲，識得字，做得詩，且是做人乖巧周全。我本官專房之寵，不比其他。你的說話，不差，不差！依說是你妹子，你是舅爺了。你且在門房裏坐一坐，我去報與將軍知道。"蒼頭急急忙忙奔了進去，金生在門房等着回話不題。

且說劉翠翠自那年擄去，初見李將軍之時，先也哭哭啼啼，尋死覓活，不肯隨順。李將軍嚇他道："隨順了，不去難為你闔家老小；若不隨順，將他家寸草不留！"翠翠惟恐累及父母與丈夫家裏，只能勉強依從。李將軍見他聰明伶俐，知書曉事，愛得他如珠似玉一般，十分抬舉，百順千隨。翠翠雖是支陪笑語，卻是無刻不思念丈夫，沒有快活的日子。心裏癡想："緣分不斷，或者還有時節相會。"爭奈日復一日，隨着李將軍東征西戰，沒個定蹤，不覺已是六七年了。

此日李將軍見老蒼頭來稟，說有他的哥哥劉金定在外邊求見。李將軍問翠翠道："你家裏有個哥哥麼？"翠翠心裏想道："我那得有甚麼哥哥來？多管是丈夫尋到此間，不好說破，故此託名。"遂轉口道："是有個哥哥，多年隔別了，不知是也不是，且問他甚麼名字才曉得。"李將軍道："管門的說是甚麼劉金定。"翠翠聽得金定二字，心下痛如刀割，曉得是丈夫冒了劉姓來訪問的了，說道："這果然是我哥哥，我要見他。"李將軍道："待我先出去見過了，然後來喚你。"將軍分付蒼頭："去請那劉秀才進來。"蒼頭承命出來，領了金生進去。李將軍武夫出身，妄自尊大，走到廳上，居中坐下，金生只得向上再拜。將軍受了禮，問道："秀才何來？"金生道："金定姓劉，淮安人氏，先年亂離之中，有個妹子失散，聞得在將軍府中，特自本鄉到此，叩求一見。"將軍見他儀度斯文，出言有序，喜動顏色道："舅舅請起，你令妹無恙，即當出來相見。"旁邊站着一個童兒，叫名小豎，就叫他進去傳命道："劉官人特自鄉中遠來，叫翠娘可快出來相見！"起初翠翠見說了，正在心癢難熬之際，聽得外面有請，恨不得兩步做一步移了，急趨出廳中來。抬頭一看，果然是丈夫金定！礙着將軍眼睜睜在上面，不好上前相認，只得將錯就錯，認了妹子，叫聲哥哥，以兄妹之禮在廳前相見。看官聽說，若是此時說話的在旁邊一把把那將軍扯了開來，讓他每講一程話，敘一程闊[1]，豈不是湊趣

---

1 闊：即闊別之意。

的事？爭奈將軍不做美，好像個監場的御史，一眼不煞坐在那裏。金生與翠翠雖然夫妻相見，說不得一句私房話，只好問問父母安否？彼此心照，眼淚從肚裏落下罷了。

　　昔為同林鳥，今作分飛燕。相見難為情，不如不相見。

　　又昔日樂昌公主[1]在楊越公處見了徐德言，做一首詩道：

　　今日何遷次，新官對舊官。笑啼俱不敢，方信做人難！

　　今日翠翠這個光景，頗有些相似。然樂昌與徐德言，楊越公曉得是夫妻的，此處金生與翠翠只認做兄妹，一發要遮遮飾飾，恐怕識破，意思更難堪也。還虧得李將軍是武夫粗鹵，看不出機關，毫沒甚麼疑心，只道是當真的哥子，便認做舅舅，親情的念頭重起來，對金生道："舅舅既是遠來，道途跋涉，心力勞困，可在我門下安息幾時，我還要替舅舅計較。"分付拿出一套新衣服來與舅舅穿了，換下身上塵汙的舊衣。又令打掃西首一間小書房，安設床帳被蓆，是件整備，請金生在裏頭歇宿。金生巴不得要他留住，尋出機會與妻子相通，今見他如此認帳，正中心懷，欣然就書房裏宿了。只是心裏想着妻子就在裏面，好生難過！

　　過了一夜，明早起來，小豎來報道："將軍請秀才廳上講

1 樂昌公主：陳後主之妹，"破鏡重圓"故事的女主人公，徐德言是她失散的丈夫。

話。"將軍相見已畢，問道："令妹能認字，舅舅可通文墨麼？"金生道："小生在鄉中以儒為業，那詩書是本等①，就是經史百家，也多涉獵過的，有甚麼不曉得的勾當？"將軍喜道："不瞞舅舅說，我自小失學，遭遇亂世，靠着長槍大戟掙到此地位。幸得吾王寵任，趨附我的盡多。日逐賓客盈門，沒個人替我接待，往來書劄堆滿，沒個人替我裁答，我好些不耐煩。今幸得舅舅到此，既然知書達禮，就在我門下做個記室②，我也便當了好些。況關至親，料舅舅必不棄嫌的。舅舅心下何如？"金生是要在裏頭的，答道："只怕小生才能淺薄，不稱將軍任使，豈敢推辭？"將軍見說大喜。連忙在裏頭去取出十來封書啟來，交與金生道："就煩舅舅替我看詳裏面意思，回他一回。我正為這些難處，而今卻好了。"金生拿到書房裏去，從頭至尾，逐封逐封備審來意，一一回答停當，將稿來與將軍看。將軍就叫金生讀一遍，就帶些解說在裏頭。聽罷，將軍拍手道："妙，妙！句句像我肚裏要說的話。好舅舅，是天送來幫我的了！"從此一發看待得甚厚。

　　金生是個聰明的人，在他門下，知高識低，溫和待人，自內至外沒一個不喜歡他的。他又愈加謹慎，說話也不敢聲高。將軍面前只有說他好處的，將軍得意自不必說。卻是金生主意，只要安得身牢，尋個空便，見見妻子，剖訴苦情。亦且妻子隨着別人已經多年，不知他心腹怎麼樣了，也要與他說個倒斷③。誰想自

---

1 本等：分內之事。

2 記室：官職名，即今日之秘書。

3 倒斷：究竟。

廳前一見之後，再不能勾相會。欲要與將軍說那要見的意思，又恐怕生出疑心來，反為不美。私下要用些計較通個消息，怎當得閨閣深邃，內外隔絕，再不得一個便處。

日挨一日，不覺已是幾個月了。時值交秋天氣，西風夜起，白露為霜。獨處空房，感歎傷悲，終夕不寐。思量妻子翠翠這個時節，繡圍錦帳，同人臥起，有甚不快活處？不知心裏還記着我否？怎知我如此冷落孤淒，時刻難過？乃將心事作成一詩道：

> 好花移入玉欄干，春色無緣得再看。
> 樂處豈知愁處苦？別時雖易見時難。
> 何年塞上重歸馬？此夜庭中獨舞鸞。
> 霧閣雲窗深幾許，可憐辜負月團團！

詩成，寫在一張箋紙上了，要寄進去與翠翠看，等他知其心事。但恐怕洩漏了風聲，生出一個計較來，把一件布袍拆開了領線，將詩藏在領內了，外邊仍舊縫好。叫那書房中伏侍的小豎來，說道：「天氣冷了，我身上單薄，這件布袍垢穢不堪，你替我拿到裏頭去，支付我家妹子，叫他拆洗一拆洗，補一補，好拿來與我穿。」再把出百來個錢與他道：「我央你走走，與你這錢買果兒吃。」小豎見了錢，千歡萬喜，有甚麼推託？拿了布袍一徑到裏頭去，交與翠翠道：「外邊劉官人叫拿進來，付與翠娘整理的。」翠娘曉得是丈夫寄進來的，必有緣故。叫他放下了，過一日來拿。小豎自去了。

翠翠把布袍從頭至尾看了一遍。想道：「是丈夫着身的衣服，我多時不與他縫紉了！」眼淚索珠也似的掉將下來。又想道：“丈夫到此多時，今日特地寄衣與我，決不是為要拆洗，必有甚麼機關在裏面。”掩了門，把來細細拆將開來。剛拆得領頭，果然一張小小信紙縫在裏面，卻是一首詩。翠翠將來細讀，一頭讀，一頭哽哽咽咽，只是流淚。讀罷，哭一聲道：“我的親夫呵！你怎知我心事來？”噙着眼淚，慢慢把布袍洗補好，也做一詩縫在衣領內了。仍叫小豎拿出來，付與金生。金生接得，拆開衣領看時，果然有了回信，也是一首詩。金生拭淚讀其詩道：

> 一自鄉關動戰鋒，舊愁新恨幾重重。
> 腸雖已斷情難斷，生不相從死亦從！
> 長使德言藏破鏡，終教子建賦游龍[1]。
> 綠珠碧玉[2]心中事，今日誰知也到儂！

　　金生讀罷其詩，才曉得翠翠出於不得已，其情已見。又想他把死來相許，料道今生無有完聚的指望了！感切傷心，終日鬱悶涕泣，茶飯懶進，遂成痞膈之疾。

　　將軍也着了急，屢請醫生調治。又道是心病還須心上醫，你道金生這病可是醫生醫得好的麼？看看日重一日，只待不起。裏頭翠翠聞知此信，心如刀刺，只得對將軍說了，要到書房中來看看哥哥的病症。將軍看見病勢已凶，不好阻他，當下依允，翠翠才到得書房中來。這是他夫妻第二番相見了，可憐金生在床上一

1　子建賦游龍：三國時曹植曹子建善於做賦，游龍是《洛神賦》中的句子，這裏借喻相愛的人相遇。

2　綠珠碧玉：綠珠是晉石崇的愛妾，為石崇殉情而死。碧玉是唐代喬知之的丫鬟，也是為情而死。翠翠在這裏藉她二人表達自己以身相許的意思。

絲兩氣，轉動不得。翠翠見了十分傷情，噙着眼淚，將手去扶他的頭起來，低低喚道：“哥哥！掙扎着，你妹子翠翠在此看你！”說罷淚如泉湧。金生聽得聲音，撐開雙眼，見是妻子翠翠扶他，長歎一聲道：“妹妹，我不濟事了，難得你出來見這一面！趁你在此，我死在你手裏了，也得瞑目。”便叫翠翠坐在床邊，自家強抬起頭來，枕在翠翠膝上，奄然而逝。

翠翠哭得個發昏章第十一，報與將軍知道，將軍也着實可憐他，又恐怕苦壞了翠翠，分付從厚殯殮。替他在道場山腳下尋得一塊好平坦地面，將棺木送去安葬。翠翠又對將軍說了，自家親去送殯。直看墳塋封閉了，慟哭得幾番死去叫醒，然後回來。自此精神恍惚，坐臥不寧，染成一病。李將軍多方醫救，翠翠心裏巴不得要死，並不肯服藥。輾轉床席，將及兩月。一日，請將軍進房來，帶着眼淚對他說道：“妾自從十七歲上拋家相從，已得幾載。流離他鄉，眼前並無親人，止有一個哥哥，今又死了。妾病若畢竟不起，切記我言，可將我屍骨埋在哥哥旁邊，庶幾黃泉之下，兄妹也得相依，免做了他鄉孤鬼，便是將軍不忘賤妾之大恩也。”言畢大哭，將軍好生不忍，把好言安慰他，叫他休把閒事縈心，且自將息。說不多幾時，昏沉上來，早已絕氣。將軍慟哭一番，念其臨終叮囑之言，不忍違他，果然將去葬在金生塚旁。可憐金生，翠翠二人生前不能成雙，虧得詭認兄妹，死後倒得做一處了！

已後國朝洪武初年，於時張士誠已滅，天下一統，路途平靜。翠翠家裏淮安劉氏有一舊僕到湖州來販絲綿，偶過道場山下，見有一所大房子，綠戶朱門，槐柳掩映。門前有兩個人，一男一女打扮，並肩坐着。僕人道大戶人家家眷，打點遠避而過。

忽聽得兩人聲喚，走近前去看時，卻是金生與翠翠。翠翠開口問父母存亡，及鄉里光景。僕人一一回答已畢，僕人問道："娘子與郎君離了鄉里多年，為何到在這裏住家起來？"翠翠道："起初兵亂時節，我被李將軍擄到這裏，後來郎君遠來尋訪，將軍好意仍把我歸還郎君，所以就僑居在此了。"僕人道："小人而今就回淮安，娘子可修一封家書，帶去報與老爹、安人①知道，省得家中不知下落，終日懸望。"翠翠道："如此最好。"就領了這僕人進去，留他吃了晚飯，歇了一夜。明日將出一封書來，叫他多多拜上父母。

僕人謝了，帶了書來到淮安，遞與劉老。此時劉，金兩家久不見二人消耗，自然多道是兵戈死亡了。忽見有家書回來，問是湖州寄來的，道兩人見住在湖州了，真個是喜從天降！叫齊了一家骨肉，盡來看這家書。元來是翠翠出名寫的，乃是長篇四六之書。書上寫道："伏以父生母育，難酬罔極之恩；夫唱婦隨，夙著三從之義。在人倫而已定，何時事之多艱？曩者漢日將傾，楚氛甚惡，倒持太阿之柄，擅弄潢池之兵。封豕長蛇，互相吞併；雄蜂雌蝶，各自逃生。不能玉碎於亂離，乃至瓦全於倉卒。驅馳戰馬，隨逐征鞍。望高天而八翼莫飛，思故國而三魂屢散。良辰易邁，傷青鸞之伴木雞；怨耦為仇，懼烏鴉之打丹鳳。雖應酬而為樂，終感激以生悲。夜月杜鵑之啼，春風蝴蝶之夢。時移事往，苦盡甘來。今則楊素覽鏡而歸妻，王敦開閣而放妓。蓬島踐當時之約，瀟湘有故人之逢。自憐賦命之屯，不恨尋春之晚。章臺之柳，雖已折於他人；玄都之花，尚不改於前度。將謂瓶沉而

---

1 安人：即夫人。

簪折，豈期璧返而珠還？殆同玉簫女兩世姻緣，難比紅拂妓一時配合。天與其便，事非偶然。煎鸞膠而續斷弦，重諧繾綣；託魚腹而傳尺素，謹致叮嚀。未奉甘旨，先此申覆。”讀罷，大家歡喜。劉老問僕人道：“你記得那裏住的去處否？”僕道：“好大房子！我在裏頭歇了一夜，打發了家書來的，怎不記得？”劉老道：“既如此，我同你湖州去走一道，會一會他夫妻來。”

當下劉老收拾盤纏，別了家裏，一同僕人徑奔湖州。僕人領至道場山下前日留宿之處，只叫得聲奇怪，連房屋影響多沒有，那裏說起高堂大廈？惟有些野草荒煙，狐蹤兔跡。茂林之中，兩個墳堆相連。劉老道：“莫不錯了？”僕人道：“前日分明在此，與我吃的是湖州香稻米飯，苕溪中鮮鯽魚，烏程的酒。明明白白，住了一夜去的，怎會得錯？”

正疑怪間，恰好有一個老僧杖錫而來。劉老與僕人問道：“老師父，前日此處有所大房子，有個金官人同一個劉娘子在裏邊居住，今如何不見了？”老僧道：“此乃李將軍所葬劉生與翠翠兄妹兩人之墳，那有什麼房子來？敢是見鬼了！”劉老道：“見有寫的家書寄來，故此相尋。今家書見在，豈有是鬼之理？”急在纏帶裏摸出家書來一看，乃是一副白紙，才曉得果然是鬼。這裏正是他墳墓，因問老僧道：“適間所言李將軍何在？我好去問他詳細。”老僧道：“李將軍是張士誠部下的，已為天朝誅滅，骨頭不知落在那裏了，怎得有這樣墳土堆埋呢，你到何處尋去？”劉老見說，知是二人已死，不覺大慟，對着墳墓道：“我的兒！你把一封書賺我千里遠來，本是要我見一面的意思。今我到此地了，你們卻潛蹤隱跡，沒處追尋，叫我怎生過得！我與你父子之情，人鬼可以無間。你若有靈，千萬見我一見，放下我的心罷！"老僧道："老檀越不必傷悲！此二位官人、娘子，老僧定中時得相見。老僧禪舍去此不遠，老檀越，今日已晚，此間露立不便，且到禪舍中一宿。待老僧定中與他討個消息回你，何如？"劉老道："如此，極感老師父指點。"遂同僕人隨了老僧，行不上半里，到了禪舍中。老僧將素齋與他主僕吃用，收拾房臥安頓好，老僧自入定去了。

劉老進得禪房，正要上床，忽聽得門響處，一對少年的夫妻走到面前，仔細看來，正是翠翠與金生。一同拜跪下去，悲啼宛轉，說不出話來。劉老也揮着眼淚，撫摸着翠翠道："兒，你有說話只管說來。"翠翠道："向者不幸，遭值亂兵。忍恥偷生，離鄉背井。叫天無路，度日如年。幸得良人不棄，將來相訪，託名兄妹，暫得相見。隔絕夫婦，彼此含冤。以致良人先亡，兒亦繼沒。猶喜許我附葬，今得魂魄相依。惟恐家中不知，故特託僕人寄此一信。兒與金郎生雖異處，死卻同歸。兒願已畢，父母勿以為念！"劉老聽罷，哭道："我今來此，只道你夫妻還在，要與你們同回故鄉。我明日只得取汝骸骨歸去，遷於先塋之下，也不辜負我來這一番。"翠翠道："向着因顧念雙親，寄此一書。今承父親遠至，足見慈愛。故不避幽冥，敢與金郎同來相見。骨肉已逢，足慰相思之苦。若遷骨之命，斷不敢從。"劉老道："卻是為何？"翠翠道："兒生前不得侍奉親闈，死後也該依傍祖塋。只是陰道尚靜，不宜勞擾。況且在此溪山秀麗，草木榮華，又與金郎同棲一處。因近禪寶，時聞妙理。不久就與金郎託生，重為夫婦。在此已安，再不必提起他說了。"抱住劉老，放聲大哭。寺裏鐘鳴，忽然散去。劉老哭將醒來，乃是南柯一夢。老僧走到面前道："夜來有所見否？"劉老一一述其夢中之言。老僧道："賢女輩精靈未泯，其言可信也。幽冥之事，老檀越既已見得如此明白，也不必傷悲了。"劉老再三謝別了老僧。一同僕人到城市中，辦了些牲醴酒饌，重到墓間澆奠一番，哭了一場，返棹歸淮安去。

至今道場山有金翠之墓，行人多指為佳話。此乃生前隔別，死後成雙，猶自心願滿足，顯出這許多靈異來，真乃是情之所鍾也。有詩為證：

> 連理何須一處栽？多情只願死同埋。
> 試看金翠當年事，憒憒將軍更可哀！

串講

故事寫的是一段真摯感人的愛情。開篇仍是一個小故事引入，寫的是宋朝王八郎天天花天酒地、朝三暮四，一直想將妻子趕走，把相好的妓女娶進門。他的妻子也不是好惹的，發現丈夫有外遇後，便暗地將家中財產積攢起來，最後兩人鬧到公堂，徹底分手。過了很多年，兩人相繼死了，他們的女兒想將他們安葬在一處，誰知本來兩人都仰臥，到棺材裏卻兩背相對，可見兩人互相怨恨之深。講完了反面典型，故事開始進入謳歌翠翠和金定愛情的階段。兩人從小在學堂一起讀書，青梅竹馬，結下了真摯的愛情。到翠翠長大成人，爹娘要將她嫁人，誰知媒婆一上門，翠翠便關門哭泣。爹媽問清原由，原來她早已愛上了金定。於是，劉家派人上門提親，但是金媽媽覺得自己家貧，配不上富裕的劉家，妥協下，於是金定做了劉家的上門女婿。有情人終成眷屬，兩人感情日見深厚，過着幸福快樂的日子。但是，這種甜蜜生活很快被戰爭打破了。翠翠被張士誠手下李將軍搶了過去，下落不明。金定四處苦苦尋找，終於在湖州找到了李將軍府。將軍府戒備森嚴，金定站在門口無法進入。這時，恰巧一個老管家出來，於是他上前打聽，謊稱是翠翠的哥哥，尋找妹妹的下落。果然，翠翠已是將軍寵妾。老管家連忙進去通報，李將軍詢問翠翠是否有哥哥，翠翠猜到是丈夫找來，便讓人快請。李將軍認下了這個大舅子，讓翠翠出來見面，兩人見面，萬千話語無從訴說，只能以兄妹相稱，心中異常痛苦。第二天，將軍請金定相會，詢問他文才如何，金定顯示了很強的能力，將軍於是將他留做秘書。金定是個聰明人，在將軍府住下後很快與大家打成一片，但是自見過一面後，再沒見過翠翠。幾個月後，秋風漸涼，金定將自己的思念寫成詩句，縫在衣領內讓丫鬟交給翠翠拆洗修補。翠翠找到紙條，看到詩句也回詩一首，表達了深深的思念。金定看到紙條，知道兩人今生無法團聚，鬱積在心，一病不起。翠翠趕來探望，金生在她懷中閉上了眼睛。翠翠悲痛欲絕，心中斷了生念，也一病不起，臨死前請求將軍將自己的墳葬在金生旁邊。將軍遵從她的遺囑，將兩人葬在一處。到了明初，劉家有僕人到湖州，在路上遇到了翠翠和金生，翠翠託他送封家書給父母。劉家和金家突然接到渺無音信的兒女的信，驚喜萬分，連忙趕往湖州，誰知見到的是兩人的墳墓。夜晚，劉老夢見翠翠與金生的鬼魂現身，向他哭訴思念之情，並請求讓他們呆在這裏永遠廝守。

評析

　　這是二拍中最為著名的愛情故事，是從喜劇到悲劇，從現實主義描寫到浪漫主義想像的提升，整個文章讀來淒婉動人，刻畫了翠翠與金生至死不渝的執着愛情。故事分為兩部分，前半部分描寫翠翠與金生青梅竹馬、兩情相悅，最後締結連理的過程，寫出了兩人有着堅實的愛情基礎，為了追求愛情，翠翠衝破了門第之見，拚死要嫁給家境貧寒的金生，使他們的愛情從開始就顯示出高出一層的精神內涵，也塑造出了翠翠為理想婚姻執着追求的形象。但是，戰爭打破了這美好的一切，翠翠被搶走成為由喜到悲的轉折，故事也就進入到刻畫金生萬里尋妻的艱難歷程和找到後無法相聚的內心痛苦，充分體現了金生忠於愛情的性格特徵。作者着力刻畫了他尋找的艱難歷程，跟隨着李將軍的征戰路線，他走遍了大江南北，雖然知道在兵荒馬亂的時代，自己隨時都有送命的危險，但仍然餐風露宿，直到找到翠翠。哪知道找到之後帶給自己的是更大的悲劇，他明知翠翠就在府中卻無法團聚，內心的痛苦可想而知，自己原來的渺茫希望徹底破滅了，感情的痛苦和內心的壓抑使他很快臥病不起，直到最後客死他鄉。翠翠也忍受着更大的煎熬，深愛的丈夫無法見面，還要曲意逢迎李將軍，就是為了保全家人和丈夫。這是殘酷的現實帶給真摯愛情的最痛苦的折磨，於是她很快也撒手人寰。兩個人同樣的深愛着對方，為了對方在戰爭中、絕望中抗爭着，但是，當現實無法改變的時候，他們的相繼死亡可以說是對這殘酷社會、李將軍這些強權者的最後反抗。因為在元末戰亂時代的背景下，這篇小說具有很強的現實感和震撼力，使一對普通夫妻的生離死別具有了鮮明的時代色彩，寫出了戰亂年代普通百姓的痛苦。結尾一段是一段充滿浪漫色彩的想像，翠翠和金生的靈魂生活在一起，過着快樂的生活。如果說這是喜劇結局的話，毋寧說是面對現實無力反抗後的無謂掙扎，這是造成這一愛情悲劇的現實社會更大的悲劇。

滿少卿饑附飽颺　焦文姬生仇死報

詩云：

> 十年磨一劍，霜刃未曾試。今日把贈君，誰有
> 不平事？

話說天下最不平的，是那負心的事，所以冥中獨重其罰，劍俠專誅其人。那負心中最不堪的，尤在那夫妻之間。蓋朋友內忘恩負義，拚得絕交了他，便無別話。惟有夫妻是終身相倚的，一有負心，一生怨恨，不是當要可以了帳的事。古來生死冤家，一還一報的，獨有此項極多。

宋時衢州有一人，姓鄭，是個讀書人，娶着會稽陸氏女，姿容嬌媚。兩個伉儷綢繆，如膠似漆。一日，正在枕席情濃之際，鄭生忽然對陸氏道：“我與你二人相愛，已到極處了。萬一他日不能到底，我今日先與你說過：我若死，你不可再嫁；你若死，我也不再娶了。”陸氏道：“正要與你百年偕老，怎生說這樣不祥的話？”不覺的光陰荏苒，過了十年，已生有二子。鄭生一時間得了不起的症候，臨危時對父母道：“兒死無所慮，只有陸氏妻子恩深難捨，況且年紀少艾，日前已與他說過，我死之後不可再嫁。今若肯依所言，兒死亦瞑目矣！”陸氏聽說到此際，也不回言，只是低頭悲哭，十分哀切，連父母也道他沒有二心的了。

死後數月，自有那些走千家管閒事的牙婆每打聽腳蹤，探問消息。曉得陸氏青年美貌，未必是守得牢的人，挨身入來與他來

往。那陸氏並不推拒那一夥人，見了面就千歡萬喜，燒茶辦果，且是相待得好。公婆看見這些光景，心裏嫌他，說道："居孀行徑，最宜穩重，此輩之人沒事不可引他進門。況且丈夫臨終怎麼樣分付的？沒有別的心腸，也用這些人不着。"陸氏由公婆自說，只當不聞，後來慣熟，連公婆也不說了，果然與一個做媒的說得入港①，受了蘇州曾工曹之聘。公婆雖然惱怒，心裏道："是他立性既自如此，留着也落得做冤家，不是好住手的；不如順水推船，等他去了罷。"只是想着自己兒子臨終之言，對着兩個孫兒，未免感傷痛哭。陸氏多不放在心上，才等服滿，就收拾箱匣停當，也不顧公婆，也不顧兒子，依了好日，喜喜歡歡嫁過去了。

　　成婚七日，正在親熱頭上，曾工曹受了漕帥檄文，命他考試外郡，只得收拾起身，作別而去。去了兩日，陸氏自覺淒涼，傍晚之時，走到廳前閒步。忽見一個後生像個遠方來的，走到面前，對着陸氏叩了一頭，口稱道："鄭官人有書拜上娘子。"遞過一封束帖來。陸氏接着，看到外面封筒上題着三個大字，乃是"示陸氏"三字，認認筆蹤，宛然是前夫手跡。正要盤問，那後生忽然不見。陸氏懼怕起來，拿了書急急走進房裏來，剔明燈火，仔細看時，那書上寫道："十年結髮之夫，一生祭祀之主。朝連暮以同歡，資有餘而共聚。忽大幻以長往，慕他人而輕許。遺棄我之田疇，移蓄積於別戶。不念我之雙親，不恤我之二子。義不足以為人婦，慈不足以為人母。吾已訴諸上蒼，行理對於冥府。"陸氏看罷，嚇得冷汗直流，魂不附體，心中懊悔不及。懷

---

1 入港：說話投機。

着鬼胎，十分懼怕，說不出來。茶飯不吃，嘿嘿不快，三日而亡。眼見得是負了前夫，得此果報了。

卻又一件，天下事有好些不平的所在！假如男人死了，女人再嫁，便道是失了節，玷了名，污了身子，是個行不得的事，萬口訾議①。及到男人家喪了妻子，卻又憑他續弦再娶，置妾買婢，做出若干的勾當，把死的丟在腦後不提起了，並沒人道他薄倖負心，做一場說話。就是生前房室之中，女人少有外情，便是老大的醜事，人世羞言。及到男人家撇了妻子，貪淫好色、宿娼養妓，無所不為，總有議論不是的，不為十分大害。所以女子愈加可憐，男人愈加放肆，這些也是伏不得女娘們心裏的所在。不知冥冥之中，原有分曉。若是男子風月場中略行着腳，此是尋常勾當，難道就比了女人失節一般？但是果然負心之極，忘了舊時恩義，失了初時信行，以至誤人終身，害人性命的，也沒一個不到底報應的事。從來說王魁負桂英，畢竟桂英索了王魁命去，此便是一個男負女的榜樣。不止女負男如所說的陸氏，方有報應也。

今日待小子說一個賽王魁的故事，與看官每一聽，方曉得男子也是負不得女人的。有詩為證：

　　　由來女子號癡心，癡得真時恨亦深。
　　　莫道此癡容易負，冤冤隔世會相尋！

話說宋時有個鴻臚少卿②姓滿，因他做事沒下稍③，諱了名字

---

1 訾議：說別人壞話的議論。

2 少卿：宋代主禮儀的官員。

3 沒下稍：沒有好結果。

不傳，只叫他滿少卿。未遇時節，只叫他滿生。那滿生是個淮南大族，世有顯宦。叔父滿貴，見為樞密副院。族中子弟，遍滿京師，盡皆富厚本分。惟有滿生心性不羈，狂放自負：生得一表人材，風流可喜；懷揣着滿腹文章，道早晚必登高第。抑且幼無父母，無些拘束，終日吟風弄月，放浪江湖，把些家事多弄掉了，連妻子都不曾娶得。族中人漸漸不理他，滿生也不在心上。有個父親舊識，出鎮長安。滿生便收拾行裝，離了家門，指望投託於他，尋些潤濟。到得長安，這個官人已壞了官，離了地方去了，只得轉來。滿生是個少年孟浪不肯仔細的人，只道尋着熟人，財物廣有，不想託了個空，身邊盤纏早已罄盡。行到汴梁中牟地方，有個族人在那裏做主簿，打點與他尋些盤費還家。那主簿是個小官，地方沒大生意，連自家也只好支持過日，送得他一貫多錢。還了房錢，飯錢，餘下不多，不能勾回來。此時已是十二月天氣，滿生自思囊無半文，空身家去，難以度歲，不若只在外廂行動，尋些生意，且過了年又處。關中還有一兩個相識，在那裏做官，仍舊掇轉路頭，往西而行。

到了鳳翔地方，遇着一天大雪，三日不休。正所謂"雲橫秦嶺家何在？雪擁藍關馬不前"。滿生阻住在飯店裏，一連幾日。店小二來討飯錢，還他不勾，連飯也不來了。想着自己是好人家子弟，胸藏學問，視功名如拾芥耳。一時未跡①，浪跡江湖，今受此窮途之苦，誰人曉得我是不遇時的公卿？此時若肯雪中送炭，真乃勝似錦上添花。爭奈世情看冷暖，望着那一個救我來？不覺放聲大哭。早驚動了隔壁一個人，走將過來道："誰人如此

1 未跡：沒有發達。

啼哭？"那個人怎生打扮？頭戴玄狐帽套，身穿羔羊皮裘。紫膛顏色，帶着幾分酒，臉映紅桃，蒼白鬚髯，沾着幾點雪，身如玉樹。疑在浩然驢背下，想從安道宅中來。[1]

那個人走進店中，問店小二道："誰人啼哭？"店小二答道："覆大郎，是一個秀才官人，在此三五日了，不見飯錢拿出來。天上雪下不止，又不好走路，我們不與他飯吃了，想是肚中飢餓，故此啼哭。"那個人道："那裏不是積福處？既是個秀才官人，你把他飯吃了，算在我的帳上，我還你罷。"店小二道："小人曉得。"便去拿了一分飯，擺在滿生面前道："客官，是這大郎叫拿來請你的。"滿生道："那個大郎？"只見那個人已走到面前道："就是老漢。"滿生忙施了禮道："與老丈素昧平生，何故如此？"那個人道："老漢姓焦，就在此酒店間壁居住。因雪下得大了，同小女燙幾杯熱酒暖寒。聞得這壁廂悲怨之聲，不像是個以下之人，故步至此間尋問。店小二說是個秀才雪阻了的，老漢念斯文一脈，怎教

---

1 "疑在"兩句：前句指孟浩然雪夜尋梅事，後句指謝靈運雪夜尋友事，這兩句在此比喻來人高雅不俗。

秀才忍飢？故此教他送飯。荒店之中，無物可吃，況如此天氣，也須得杯酒兒敵寒。秀才寬坐，老漢家中叫小廝送來。”滿生喜出望外道：“小生失路之人，與老丈不曾識面，承老丈如此周全，何以克當？”焦大郎道：“秀才一表非俗，目下偶困，決不是落後之人。老漢是此間地主，應得來管顧的。秀才放心，但住此一日，老漢支持一日，直等天色晴霽好走路了，再商量不遲。”滿生道：“多感！多感！”

焦大郎又問了滿生姓名鄉貫明白，慢慢的自去了。滿生心裏喜歡道：“誰想絕處逢生，遇着這等好人。”正在僥倖之際，只見一個籠頭的小廝拿了四碗嘠飯，四碟小菜，一壺熱酒送將來，道：“大郎送來與滿官人的。”滿生謝之不盡，收了擺在桌上食用。小廝出門去了，滿生一頭吃酒，一頭就問店小二道：“這位焦大郎是此間甚麼樣人？怎生有此好情？”小二道：“這個大郎是此間大戶，極是好義。平日扶窮濟困，至於見了讀書的，尤肯結交，再不怠慢的。自家好吃幾杯酒，若是陪得他過的，一發有緣了。”滿生道：“想是家道富厚？”小二道：“有便有些產業，也不為十分富厚，只是心性如此。官人造化遇着他，便多住幾日，不打緊的了。”滿生道：“雪晴了，你引我去拜他一拜。”小二道：“當得，當得。”過了一會，焦家小廝來收傢伙，傳大郎之命分付店小二道：“滿大官人供給，只管照常支應。用酒時，到家裏來取。”店小二領命，果然支持無缺，滿生感激不盡。

過了一日，天色晴明，滿生思量走路，身邊並無盤費。亦且受了焦大郎之恩，要去拜謝。真叫做人心不足，得隴望蜀，見他好情，也就有個希冀借些盤纏之意，叫店小二在前引路，竟到焦大郎家裏來。焦大郎接着，滿面春風。滿生見了大郎，倒地便拜，謝他："窮途周濟，殊出望外。倘有用着之處，情願效力。"焦大郎道："老漢家裏也非有餘，只因看見秀才如此困厄，量濟一二，以盡地主之意，原無他事，如何說個效力起來？"滿生道："小生是個應舉秀才，異時倘有寸進，不敢忘報。"大郎道："好說，好說！目今年已傍晚，秀才還要到那裏去？"滿生道："小生投人不着，囊匣如洗，無面目還鄉，意思要往關中一路尋訪幾個相知。不期逗留於此，得遇老丈，實出萬幸。而今除夕在近，前路已去不迭，真是前不巴村，後不巴店，沒奈何了，只得在此飯店中且過了歲，再作道理。"大郎道："店中冷落，怎好度歲？秀才不嫌家間淡薄，搬到家下，與老漢同住幾日，隨常茶飯，老漢也不寂寞，過了歲朝再處，秀才意下何如？"滿生道："小生在飯店中總是叨忝老丈的，就來潭府，也是一般。只是萍蹤相遇，受此深恩，無地可報，實切惶愧耳！"大郎道："四海一家，況且秀才是個讀書之人，前程萬里。他日不忘村落之中有此老朽，便是願足，何必如此相拘哉？"元來焦大郎固然本性好客，卻又看得滿生儀容俊雅，豐度超群，語言倜儻，料不是落後的，所以一意周全他，也是滿生有緣，得遇此人。果然叫店小二店中發了行李，到焦家來。是日焦大郎安排晚飯與滿生同吃，滿生一席之間，談吐如流，更加酒興豪邁，痛飲不醉。大郎一發投機，以為相見之晚，直吃到興盡方休，安置他書房中歇宿了不提。

大郎有一室女，名喚文姬，年方一十八歲，美麗不凡，聰慧無比。焦大郎不肯輕許人家，要在本處尋個衣冠子弟，讀書君子，贅在家裏，照管暮年。因他是個市戶出身，一時沒有高門大族來求他的，以下富室癡兒，他又不肯。高不湊，低不就，所以蹉跎過了。那文姬年已長大，風情之事，盡知相慕。只為家裏來往的人，庸流凡輩頗多，沒有看得上眼的。聽得說父親在酒店中，引得外方一個讀書秀才來到，他便在裏頭東張西張，要看他怎生樣的人物。那滿生儀容舉止，盡看得過，便也有一二分動心了。這也是焦大郎的不是，便做道疏財仗義，要做好人，只該齎發^①滿生些少，打發他走路才是。況且室無老妻，家有閨女，那滿生非親非戚，為何留在家裏宿歇？只為好着幾杯酒，貪個人作伴，又見滿生可愛，傾心待他。誰想滿生是個輕薄後生，一來看見大郎殷勤，道是敬他人才，安然託大，忘其所以。二來曉得內有親女，美貌及時，未曾許人，也就懷着希冀之意，指望圖他為妻。又不好自開得口，待看機會。日挨一日，徑把關中的念頭丟過一邊，再不提起了。焦大郎終日懵懵醉鄉，沒些搭煞，不加提防。怎當得他每兩下烈火乾柴，你貪我愛，各自有心，竟自勾搭上了，情到濃時，未免不避形跡。焦大郎也見了些光景，有些疑心起來。大凡天下的事，再經有心人冷眼看不起的。起初滿生在家，大郎無日不與他同飲同坐，毫無說話。比及大郎疑心了，便覺滿生飲酒之間，沒心沒想，言語參差，好些破綻出來。

　　大郎一日推個事故，走出門去了。半日轉來，只見滿生醉臥書房，風飄衣起，露出裏面一件衣服來。看去有些紅色，像是女人襖子模樣，走到身邊仔細看時，正是女兒文姬身上的，又吊着一個交頸鴛鴦的香囊，也是文姬手繡的。大驚詫道："奇怪！奇怪！有這等事？"滿生睡夢之中，聽得喊叫，突然驚起，急斂衣襟不迭，已知為大郎看見，面如土色。大郎道："秀才身上衣

---

1 齎發：送些東西打發走。

服，從何而來？"滿生曉得瞞不過，只得謅個謊道："小生身上單寒，忍不過了，向令愛姐姐處，看老丈有舊衣借一件。不想令愛竟將一件女襖拿出來，小生怕冷，不敢推辭，權穿在此衣內。"大郎道："秀才要衣服，只消替老夫講，豈有與閨中女子自相往來的事？是我養得女兒不成器了。"

抽身望裏邊就走，恰撞着女兒身邊一個丫頭，叫名青箱，一把攝過來道："你好好實說姐姐與那滿秀才的事情，饒你的打！"青箱慌了，只得抵賴道："沒曾見甚麼事情。"大郎焦躁道："還要胡說，眼見得身上襖子多脫與他穿着了！"青箱沒奈何，遮飾道："姐姐見爹爹十分敬重滿官人，平日兩下撞見時，也與他見個禮。他今日告訴身上寒冷，故此把衣服與他，別無甚說話。"大郎道："女人家衣服，豈肯輕與人着！況今日我又不在家，滿秀才酒氣噴人，是那裏吃的？"青箱推道不知。大郎道："一發胡說了，他難道再有別處吃酒？他方才已對我說了，你若不實招，我活活打死你！"青箱曉得沒推處，只得把從前勾搭的事情一一說了。大郎聽罷，氣得抓耳撓腮，沒個是處，喊道："不成才的歪貨！他是別路來的，與他做下了事，打點怎的？"青箱說："姐姐今日見爹爹不在，私下擺個酒盒，要滿官人對天罰誓，你娶我嫁，終身不負，故此與他酒吃了。又脫一件衣服，一個香囊，與他做紀念的。"大郎道："怎了！怎了！"歎口氣道："多是我自家熱心腸的不是，不消說了！"反背了雙手，踱出外邊來。

文姬見父親攝了青箱去，曉得有些不尷尬①。仔細聽時，一

---

1 不尷尬：事情有些不對頭。

句句說到真處來。在裏面正急得要上吊，忽見青箱走到面前，已知父親出去了，才定了性對青箱道：「事已敗露至此，卻怎麼了？我不如死休！」青箱道：「姐姐不要性急！我看爹爹歎口氣，自怨不是，走了出去，到有幾分成事的意思在那裏。」文姬道：「怎見得？」青箱道：「爹爹極敬重滿官人，已知有了此事，若是而今趕逐了他去，不但惡識①了，把從前好情多丟去，卻怎生了結姐姐？他今出去，若問得滿官人不曾娶妻的，畢竟還配合了才好住手。」文姬道：「但願是如此便好。」

果然大郎走出去，思量了一回，竟到書房中帶着怒容問滿生道：「秀才，你家中可曾有妻未？」滿生跼蹐無地，戰戰兢兢回言道：「小生湖海飄流，實未曾有妻。」大郎道：「秀才家既讀詩書，也該有些行止！吾與你本是一面不曾相識，憐你客途，過為拯救，豈知你所為不義若此！玷污了人家兒女，豈得君子之行？」滿生慚愧難容，下地叩頭道：「小生罪該萬死！小生受老丈深恩，已為難報。今為兒女之情，一時不能自禁，猖狂至此。若蒙海涵，小生此生以死相報，誓不忘高天厚地之恩。」大郎又歎口氣道：「事已至此，雖悔何及！總是我生女不肖，致受此辱。今既為汝污，豈可別嫁？汝若不嫌地遠，索性贅入我家，做了女婿，養我終身，我也歎了這口氣罷！」滿生聽得此言，就是九重天上飛下一紙赦書來，怎不滿心歡喜？又仰着頭道：「若是如此玉成，滿某即粉身碎骨，難報深恩！滿某父母雙亡，家無妻子，便當奉侍終身，豈再他往？」大郎道：「只怕後生家看得容易了，他日負起心來。」滿生道：「小生與令愛恩深義重，已設

---

1 惡識：得罪冒犯。

誓過了，若有負心之事，教滿某不得好死！"

大郎見他言語真切，抑且沒奈何了，只得胡亂揀個日子，擺些酒宴，配合了二人。正是：

> 綺羅叢裏喚新人，錦繡窩中看舊物。
> 雖然後娶屬先奸，此夜恩情翻較密。

滿生與文姬，兩個私情，得成正果。天從人願，喜出望外。文姬對滿生道："妾見父親敬重君子，一時仰慕，不以自獻為羞，致於失身。原料一朝事露，不能到底，惟有一死而已。今幸得父親配合，終身之事已完，此是死中得生，萬千僥倖，他日切不可忘！"滿生道："小生飄蓬浪跡，幸蒙令尊一見如故，解衣推食，恩已過厚；又得遇卿不棄，今日成此良緣，真恩上加恩。他日有負，誠非人類！"兩人愈加如膠似漆，自不必說。滿生在家無事，日夜讀書，思量應舉。焦大郎見他如此，道是許嫁得人，暗裏心歡。自此內外無間。

過了兩年，時值東京春榜招賢，滿生即對丈人說要去應舉。焦大郎收拾了盤費，賫發他去。滿生別了丈人，妻子，竟到東京，一舉登第。才得唱名，滿生心裏放文姬不下，曉得選除未及，思量道："汴梁去鳳翔不遠，今幸已脫白掛綠①，何不且到丈人家裏，與他們歡慶一番，再來未遲？"此時滿生已有僕人使喚，不比前日。便叫收拾行李，即時起身。

不多幾日，已到了焦大郎門首。大郎先已有人報知，是日整

---

1 脫白掛綠：古時未做官的叫做白衣，穿綠衣的則是有官職的，這裏指做了官。

備迎接，鼓樂喧天，鬧動了一個村坊。滿生綠袍槐簡，搖擺進來。見了丈人，便是納頭四拜。拜罷，長跪不起，口裏稱謝道："小婿得有今日，皆賴丈人提攜；若使當日困窮旅店，沒人救濟，早已填了丘壑，怎能勾此身榮貴？"叩頭不止。大郎扶起道："此皆賢婿高才，致身青雲之上，老夫何功之有？當日困窮失意，乃賢士之常；今日衣錦歸來，有光老夫多矣！"滿生又請文姬出來，交拜行禮，各各相謝。其日鄰里看的挨擠不開，個個說道："焦大郎能識好人，又且平日好施恩德，今日受此榮華之報，那女兒也落了好處了。"有一等輕薄的道："那女兒聞得先與他有些說話了，後來配他的。"有的道："也是大郎有心把女兒許他，故留他在家裏住這幾時。便做道先有些什麼，左右是他夫妻，而今一床錦被遮蓋了，正好做院君夫人去，還有何妨？"

議論之間，只見許多人牽羊擔酒，持花捧幣，盡是些地方鄰里親戚，來與大郎作賀稱慶。大郎此時把個身子抬在半天裏了，好不風騷！一面置酒款待女婿，就先留幾個相知親戚相陪。次日又置酒請這一干作賀的，先是親眷，再是鄰里，一連吃了十來日酒。焦大郎費掉了好些錢鈔，正是歡喜破財，不在心上。滿生與文姬夫妻二人，愈加廝敬廝愛，歡暢非常。連青箱也算做日前有功之人，另眼看覷，別是一分顏色。有一首詞，單道着得第歸來世情不同光景：

> 世事從來天定，天公任意安排。寒酸忽地上金階，立看許多滲瀨①。熟識還須再認，至親也要疑

---

1 滲瀨：形容醜陋的一面。

猜。夫妻行事別開懷，另似一張卵袋。

話說滿生夫榮妻貴，暮樂朝歡。焦大郎本是個慷慨心性，愈加扯大，道是靠着女兒女婿，不憂下半世不富貴了。盡心竭力，供養着他兩個，惟其所用。滿生總是慷他人之慨，落得快活。過了幾時，選期將及，要往京師。大郎道是選官須得使用才有好地方，只得把膏腴之產盡數賣掉了，湊着偌多銀兩，與滿生帶去。焦大郎家事原只如常，經這一番弄，已此十去八九。只靠着女婿選官之後，再圖興旺，所以毫不吝惜。滿生將行之夕，文姬對他道："我與你恩情非淺。前日應舉之時，已曾經過一番離別，恰是心裏指望好日，雖然牽繫，不甚傷情。今番得第已過，只要去選地方，眼見得只有好處來了，不知為甚麼心中只覺淒慘，不捨得你別去，莫非有甚不祥？"滿生道："我到京即選，甲榜科名必為美官。一有地方，便着人從來迎你與丈人同到任所，安享榮華。此是算得定的日子，別不多時的，有甚麼不祥之處？切勿掛慮！"文姬道："我也曉得是這般的，只不知為何有些異樣，不由人眼淚要落下來，更不知甚緣故。"滿生道："這番熱鬧了多時，今我去了，頓覺冷靜，所以如此。"文姬道："這個也是。"

兩人絮聒了一夜，無非是些恩情濃厚，到底不忘的話。次日天明，整頓衣裝，別了大郎父女，帶了僕人，逕往東京選官去了。這裏大郎與文姬父女兩個，互相安慰，把家中事件，收拾並疊，只等京中差人來接，同去赴任，懸懸指望不題。

且說滿生到京，得授臨海縣尉。正要收拾起身，轉到鳳翔接了丈人妻子一同到任，揀了日子，將次起行。只見門外一個人大踏步走將進來，口裏叫道："兄弟，我那裏不尋得你到，你元來到此！"滿生抬頭看時，卻是淮南族中一個哥哥，滿生連忙接待。那哥哥道："兄弟幾年遠遊，家中絕無消耗，舉族疑猜，不知兄弟卻在那裏，到京一舉成名，實為莫大之喜。家中叔叔樞密相公見了金榜，即便打發差人到京來相接，四處尋訪不着，不知兄弟又到那裏去了。而今選有地方，少不得出京家去。恁哥哥在此做些小前程，幹辦已滿，收拾回去，已僱下船在汴河，行李多下船了。各處挨問，得見兄弟，你打疊已完，只須同你哥哥回去，見見親族，然後到任便了。"滿生心中一肚皮要到鳳翔，那裏曾有歸家去的念頭？見哥哥說來意思不對，卻又不好直對他說，只含糊回道："小弟還有些別件事幹，且未要到家裏。"那哥哥道："卻又作怪！看你的裝裹多停當了，只要走路的，不到家裏卻又到那裏？"滿生道："小弟流落時節，曾受了一個人的大恩，而今還要向西路去謝他。"那哥哥道："你雖然得第，還是空囊。謝人先要禮物為先，這些事自然是到了任再處。況且此去到任所，一路過東，少不得到家邊過，是順路卻不走，反走過西去怎的？"

滿生此時只該把實話對他講，說個不得已的緣故，他也不好阻當得。爭奈滿生有些不老氣，恰像還要把這件事瞞人的一般，並不明說，但只東支西吾，憑那哥哥說得天花亂墜，只是不肯回去。那哥哥大怒起來，罵道："這樣輕薄無知的人！書生得了科名，難道不該歸來會一會宗族鄰里？這也罷，父母墳墓邊，也不該去拜見一拜見的？我和你各處去問一問，世間有此事否？"滿生見他發出話來，又說得正氣了，一時也沒得回他，通紅了臉，不敢開口。那哥哥見他不說了，叫些隨來的家人，把他的要緊箱籠，不由他分說，只一搬竟自搬到船上去了。滿生沒奈何，心裏想道："我久不歸家了，況我落魄出來，今衣錦還鄉，也是好事。便到了家裏，再去鳳翔，不過遲到些日子，也不為礙。"對那哥道："既恁地，便和哥哥同到家去走走來。"只因這一去，有分交：綠袍年少，別牽繫足之繩；青鬢佳人，立化望夫之石。

滿生同那哥哥回到家裏，果然這番宗族鄰里比前不同，盡多是呵脬捧屁的。滿生心裏也覺快活，隨去見那親叔叔滿貴。那叔叔是樞密副院，致仕家居。既是顯官，又是一族之長，見了侄兒，曉得是新第回來，十分歡喜道："你一向出外不歸，只道是流落他鄉，豈知卻能掙扎得第做官回來！誠然是與宗族爭氣的。"滿生滿口遜謝。滿樞密又道："卻還有一件事，要與你說。你父母早亡，壯年未娶。今已成名，嗣續之事最為緊要。前日我見你登科錄上有名，便已為你留心此事。宋都朱從簡大夫有一次女，我打聽得才貌雙全。你未來時，我已着人去相求，他已許下了，此極是好姻緣。我知那臨海的官尚未離任，你到彼之期還可從容。且完此親事，夫妻一同赴任，豈不為妙？"滿生見說，心下吃驚，半晌作聲不得。滿生若是個有主意的，此時便該把鳳翔流落，得遇焦氏之事，是長是短，備細對叔父說一遍，道"成親已久，負他不得，須辭了朱家之婚，一刀兩斷"，說得決絕，叔父未必不依允。爭奈滿生諱言的是前日孟浪出遊光景，恰像鳳翔的事是私下做的，不肯當場說明，但只口裏唧噥。樞密道："你心下不快，敢慮着事體不周備麼？一應聘定禮物，前日我多已出過。目下成親所費，總在我家支持，你只打點做新郎便了。"滿生道："多謝叔叔盛情，容侄兒心下再計較一計較。"樞密正色道："事已定矣，有何計較？"

滿生見他詞色嚴毅，不敢回言，只得唯唯而出。到了家裏，悶悶了一回，想道：“若是應承了叔父所言，怎生撇得文姬父女恩情？欲待辭絕了他的，不但叔父這一段好情不好辜負，只那尊嚴性子也不好衝撞他。況且姻緣又好，又不要我費一些財物周折，也不該挫過！做官的人娶了兩房，原不為多。欲待兩頭絆着，文姬是先娶的，須讓他做大；這邊朱家，又是官家小姐，料不肯做小，卻又兩難。”心裏真似十五個吊桶打水，七上八落的，反添了許多不快活。躊躇了幾日，委決不下。到底滿生是輕薄性子，見說朱家是宦室之女，好個模樣，又不費己財，先自動了十二分火。只有文姬父女這一點念頭，還有些良心不能盡絕。肚裏輾轉了幾番，卻就變起卦來。大凡人只有初起這一念，是有天理的，依着行去，好事盡多。若是多轉了兩個念頭，便有許多好貪詐偽，沒天理的心來了。滿生只為親事擺脫不開，過了兩日，便把一條肚腸換了轉來，自想道：“文姬與我起初只是兩個偷情，真得個外遇罷了，後來雖然做了親，尤不是明婚正配。況且我既為官，做我配的須是名門大族，焦家不過市井之人，門戶低微，豈堪受朝廷封誥作終身伉儷哉？我且成了這邊朱家的親，日後他來通消息時，好言回他，等他另嫁了便是。倘若必不肯去，事到其間，要我收留，不怕他不低頭做小了。”

算計已定，就去回復樞密。樞密揀個黃道吉日，行禮到朱大夫家，娶了過來。那朱家既是宦家，又且嫁的女婿是個新科，愈加要齊整，妝奩豐厚，百物具備。那朱氏女生長宦門，模樣又是著名出色的，真是德、容、言、功，無不俱足。滿生快活非常，把那鳳翔的事丟在東洋大海去了。正是：

花神脈脈殿春殘，爭賞慈恩紫牡丹。

別有玉盤承露冷，無人起就月中看。

滿生與朱氏門當戶對，年貌相當，你敬我愛，如膠似漆。滿生心裏反悔着鳳翔多了焦家這件事，卻也有時念及，心上有些遣不開。因在朱氏面前，索性把前日焦氏所贈衣服，香囊拿出來，忍着性子，一把火燒了，意思要自此絕了念頭。朱氏問其緣故，滿生把文姬的事略略說些始末，道：「這是我未遇時節的事，而今既然與你成親，總不必提及了。」朱氏是個賢慧女子，倒說道：「既然未遇時節相處一番，而今富貴了，也不該便絕了他。我不比那世間妒忌婦人，倘或有便，接他來同住過日，未為不可。」怎當得滿生負了盟誓，難見他面，生怕他尋將來，不好收場，那裏還敢想接他到家裏？亦且怕在朱氏面上不好看，一意只是斷絕了，回言道：「多謝夫人好意。他是小人家兒女，我這裏沒消息到他，他自然嫁人去了，不必多事。」自此再不提起。

初時滿生心中懷着鬼胎，還慮他有時到來，喜得那邊也絕無音耗，俗語云：「孝重千斤，日減一斤。」滿生日遠一日，竟自忘懷了。自當日與朱氏同赴臨海任所，後來作尉任滿，一連做了四五任美官，連朱氏封贈過了兩番。

不覺過了十來年，累官至鴻臚少卿，出知齊州。那齊州廳舍甚寬，闔家人口住得像意。到任三日，裏頭收拾已完，內眷人等要出私衙之外，到後堂來看一看。少卿分付衙門人役盡皆出去，屏除了閒人，同了朱氏，帶領着幾個小廝，丫鬟，家人媳婦，共十來個人，一起到後堂散步，各自東西閒走看耍。少卿偶然走到後堂右邊天井中，見有一小門，少卿推開來看，裏頭一個穿青的丫鬟，見了少卿，飛也似跑了去。少卿急趕上去看時，那丫鬟早已走入一個破簾內去了。少卿走到簾邊，只見簾內走出一個女人來，少卿仔細一看，正是鳳翔焦文姬。少卿虛心病，元有些怕見他的，亦且出於不意，不覺驚惶失措。文姬一把扯住少卿，哽哽咽咽哭將起來道："冤家，你一別十年，向來許多恩情一些也不念及，頓然忘了，真是忍人！"少卿一時心慌，不及問他從何而來，且自辯說道："我非忘卿，只因歸到家中，叔父先已別聘，強我成婚，我力辭不得，所以蹉跎到今，不得來你那裏。"文姬道："你家中之事，我已盡知，不必提起。吾今父親已死，田產俱無，剛剩得我與青箱兩人，別無倚靠。沒奈何了，所以千里相投。前日方得到此，門上人又不肯放我進來。求懇再三，今日才許我略在別院空房之內，駐足一駐足，幸而相見。今一身孤單，茫無棲泊，你既有佳偶，我情願做你側室，奉事你與夫人，完我餘生。前日之事，我也不計較短長，付之一歡罷了！"說一句，哭一句。說罷，又倒在少卿懷裏，發聲大慟。連青箱也走出來見了，哭做一堆。

少卿見他哭得哀切，不由得眼淚也落下來，又恐怕外邊有人知覺，連忙止他道："多是我的不是。你而今不必啼哭，管還你好處。且喜夫人賢慧，你既肯認做一分小，就不難處了。你且消停在此，等我與夫人說去。"少卿此時也是身不由己的走來對朱氏道："昔年所言鳳翔焦氏之女，間隔了多年，只道他嫁人去了，不想他父親死了，帶個丫鬟直尋到這裏。今若不收留，他沒個着落，叫他沒處去了，卻怎麼好？"朱氏道："我當初原說接了他來家，你自不肯，直誤他到此地位，還好不留得他？快請來與我相見。"少卿道："我說道夫人賢慧。"就走到西邊去，把朱氏的說話說與文姬。文姬回頭對青箱道："若得如此，我每且喜有安身之處了。"兩人隨了少卿，步到後堂，見了朱氏，相敘禮畢。文姬道："多蒙夫人不棄，情願與夫人鋪床疊被。"朱氏道："那有此理？只是姐妹相處便了。"就相邀了一同進入衙中。朱氏着人替他收拾起一間好臥房，就着青箱與他同住，隨房伏侍。文姬低頭伏氣，且是小心。朱氏見他如此，甚加憐愛，且是過的和睦。

住在衙中幾日了，少卿終是有些羞慚不過意，縮縮胸胸[1]，未敢到他房中歇宿去。一日，外廂去吃了酒歸來，有些微醺了，望去文姬房中，燈火微明，不覺心中念舊起來。醉後卻膽壯了，踉踉蹌蹌，竟來到文姬面前。文姬與青箱慌忙接着，喜喜歡歡簇擁他去睡了。這邊朱氏聞知，笑道："來這幾時，也該到他房裏去了。"當夜朱氏收拾了自睡。到第二日，日色高了，闔家多起了身，只有少卿未起。闔家人指指點點，笑的話的，道是"十年不相見了，不知怎地舞弄，這時節還自睡哩！青箱丫頭在旁邊聽得不耐煩，想也倦了，連他也不起來。"有老成的道："十年的說話，講也講他大半夜，怪道天明多睡了去。"

眾人議論了一回，只不見動靜。朱氏梳洗已過，也有些不愜意道："這時節也該起身了，難道忘了外邊坐堂？"同了一個丫鬟走到文姬房前聽一聽，不聽得裏面一些聲響，推推門看，又是裏面關着的。家人每道："日日此時出外理事去久了，今日遲得不像樣，我每不妨催一催。"一個就去敲那房門，初時低聲，逐漸聲高，直到得亂敲亂叫，莫想裏頭答應一聲。盡來對朱氏道："有些奇怪了，等他開出來不得。夫人做主，我們掘開一壁，進去看看。停會相公嗔怪，全要夫人擔待。"朱氏道："這個在

我，不妨。"眾人盡皆動手，須臾之間，已撥開了一垛壁。眾人走進裏面一看，開了口合不攏來。正是：

宣子慢傳無鬼論，良宵自昔有冤償。
若還死者全無覺，落得生人不善良。

眾人走進去看時，只見滿少卿直挺挺倘①在地下，口鼻皆流鮮血。近前用手一摸，四肢冰冷，已氣絕多時了。房內並無一人，那裏有什麼焦氏？連青箱也不見了，剛留得些被臥在那裏。眾人忙請夫人進來。朱氏一見，驚得目睜口呆，大哭起來。哭罷道："不信有這樣的異事！難道他兩個人擺佈死了相公，連夜走了？"眾人道："衙門封鎖，插翅也飛不出去；況且房裏兀自關門閉戶的，打從那裏走得出來？"朱氏道："這等，難道青天白日相處這幾時，這兩個卻是鬼不成？"似信不信。一面傳出去，說少卿夜來暴死，着地方停當後事。

朱氏悲悲切切，到晚來步進臥房，正要上床睡去，只見文姬打從床背後走將出來，對朱氏道："夫人休要煩惱！滿生當時受我家厚恩，後來負心，一去不來，吾舉家懸望，受盡苦楚，抱恨而死。我父見我死無聊，老人家悲哀過甚，與青箱丫頭相繼淪亡。今在冥府訴准，許自來索命，十年之怨，方得申報，我而今與他冥府對證去。家夫人相待好意，不敢相侵，轉來告別。"朱氏正要問個備細，一陣冷風遍體颯然驚覺，乃是南柯一夢。才曉得文姬、青箱兩個真是鬼，少卿之死，被他活捉了去陰府對理。

---

1 倘：通"躺"。

朱氏前日原知文姬這事，也道少卿沒理的，今日死了無可怨悵，只得護喪南還。單苦了朱氏下半世，亦是滿生之遺孽也。世人看了如此榜樣，難道男子又該負得女子的？

　　　癡心女子負心漢，誰道陰中有判斷？
　　　雖然自古皆有死，這回死得不好看！

串講

　　這是一個癡情女子負心漢的故事。開篇講鄭姓讀書人與妻子陸氏十分恩愛，兩人約定終身相伴。十年後，鄭生因病去世，陸氏很快忘記了自己對丈夫的約定，改嫁他人。結婚七天後，鄭生的鬼魂出現，陸氏深感愧疚，三天後也死掉了。之後，開始進入故事的正文。宋代有個滿少卿少年放蕩，敗光了家產，家族內沒有喜歡他，於是投靠父親的朋友。誰知不僅人沒找到，還花光了盤纏，陷入十分窘迫的境地。絕望之中，他放聲痛哭，驚動了隔壁的一個老漢。這老漢叫焦大郎，是出名的熱心腸，聽說是一個秀才遇難，於是過來詢問，更讓人送來吃用。滿少卿十分感激，於是上門拜謝，大郎熱情地邀請他到家中居住，以免他露宿荒野。焦大郎有個女兒叫做焦文姬，十分美貌，看到滿少卿一表人才，滿腹才學，心中暗自喜歡。滿少卿本來就是好色之徒，兩人很快兩情相悅，有了私情。過了一段時間，大郎發現了他們的事情，十分憤怒，把文姬的丫鬟青箱叫去問話，青箱只好如實交代，大郎認為家醜不可外露，而且滿少卿還算可以，於是將文姬許配給他。兩個人成為夫妻，滿少卿對天盟誓，決不負文姬。過了兩年，滿少卿上京趕考，一舉中榜，於是風光地回到焦家。焦大郎覺得自己後半生有了依靠，便將家產拿出來為滿生選官，自家落得十分窮困。滿生來到京城，不料遇到了同宗的兄弟，責備他不回家，還說同族的樞密使正派人四處尋找他。滿生原本要到焦家接大郎父女，這時也只好隨他回鄉了。衣錦還鄉，原來疏遠的親戚紛紛來賀，樞密使更將朱大夫的女兒許給他，面對錦繡前程和美女誘惑，滿少卿動搖了，最後還

是辜負了焦大郎父女的恩情，還把帶在身上的文姬所贈的香囊等一把火燒了。過了十幾年，滿少卿升官到齊州。一天，他在宅院內撞見了文姬和青箱，原來焦大郎已經死了，她們兩人無法謀生，於是千里尋夫。滿少卿心中有鬼，便與夫人商量。夫人朱氏十分明理，將文姬留下共同生活。幾天後，滿少卿始終過意不去，喝酒壯膽到文姬處歇息，結果到天亮音信皆無。眾人敲門沒人答應，於是破牆而入，發現滿少卿早已死去多時，文姬和青箱蹤影不見。夜晚，文姬鬼魂出來與朱氏相見，原來她等不到滿生，抑鬱而死，焦大郎和青箱也相繼而亡，今天是向滿少卿索命的。

評析

　　這個題材可以說是老舊的話題，如何做出新意是後來者功力的體現。作者身處明代個性解放的思想氛圍中，與前人相比更加具有了平等的觀念，對婦女顯得很尊重。這可以從開篇中一段議論中體現：

"卻又一件，天下事有好些不平的所在！假如男人死了，女人再嫁，便道是失了節，玷了名，污了身子，是個行不得的事，萬口訾議。及到男人家喪了妻子，卻又憑他續弦再娶，置妾買婢，做出若干的勾當，把死的丟在腦後不提起了，並沒人道他薄倖負心，做一場說話。就是生前房室之中，女人少有外情，便是老大的醜事，人世羞言。及到男人家撇了妻子，貪淫好色、宿娼養妓，無所不為，總有議論不是的，不為十分大害。所以女子愈加可憐，男人愈加放肆，這些也是伏不得女娘們心裏的所在。不知冥冥之中，原有分曉。若是男子風月場中略行着腳，此是尋常勾當，難道就比了女人失節一般？但是果然負心之極，忘了舊時恩義，失了初時信行，以至誤人終身。害人性命的，也沒一個不到底報應的事。"有了這樣的思想作基礎，作者甩開了女子三從四德的倫理包袱，從負心漢的可惡用筆，為焦文姬抱不平，甚至可以原諒她婚前與滿生私通這一被以往作者視為不守婦道的行為，體現了他思想比前人的進步。作者為了突出滿生的負恩，當他最窮困潦倒的時候，焦大郎挺身而出，救他於水火之中，這是他欠下的第一筆情。接着，他勾引焦文姬，不僅沒有被懲罰，焦大郎最終成全了他們，文中寫道，滿生聽到這消息，如"九重天上飛下一紙赦書來"，感激涕零，指天發誓如果負心，不得好死。這是他欠下的第二筆情，也為以後他的暴死打下伏筆。在他金榜題名後，為了幫他選官，焦大郎傾其所有，將家產變賣給他。這是滿生欠下的第三筆情，也是顯示了焦家敗亡的原因。情節發展環環相扣，前面寫的都是欠情，從滿生進京選官開始，進入了他負心的心路歷程。故事可以說成功塑造了一個性格複雜的負心漢，特別是通過對他的心理鬥爭的刻畫，寫出了他的痛苦抉擇到最後走向忘恩負義的過程，顯得十分真實可信。他基本不算個壞人，但是在古代宗法社會，個人的利益必須讓位於宗族的利益，個人情感必須要維護宗族聲名，為了家族，犧牲個人的感情是必須的。於是，在家鄉親友的訓斥與吹捧中，在錦繡前程面前，在"宦室之女，好個模樣，又不費己財"的誘惑下，他徹底忘記了救自己於窮途末路的焦大郎，忘記了曾經深愛的焦文姬，終於走上了負心之路。因此，我們讀完這篇故事，在痛恨滿少卿的同時，對於泯滅人性、摧殘愛情的封建宗法制度有了更深刻的認識。

硬勘案大儒爭閒氣　甘受刑俠女著芳名

詩云：

> 世事莫有成心，成心專會認錯。
> 任是大聖大賢，也要當着不着。

看官聽說：從來說的書不過談些風月，述些異聞，圖個好聽。最有益的，論些世情，說些因果，等聽了的觸着心裏，把平日邪路念頭化將轉來。這個就是說書的一片道學心腸，卻從不曾講着道學。而今為甚麼說個不可有成心？只為人心最靈，專是那空虛的才有公道。一點成心入在肚裏，把好歹多錯了，就是聖賢也要偏執起來，自以為是，卻不知事體竟不是這樣的了。道學的正派，莫如朱文公晦翁[1]。讀書的人那一個不尊奉他，豈不是個大賢？只為成心上邊，也曾錯斷了事，當日在福建崇安縣知縣事，有一小民告一狀道：“有祖先墳塋，縣中大姓奪佔做了自己的墳墓，公然安葬了。”晦翁精於風水，況且福建又極重此事，豪門富戶見有好風水吉地，專要佔奪了小民的，以致興訟，這樣事日日有的。晦翁准了他狀，提那大姓到官。大姓說：“是自家做的墳墓，與別人毫不相干的，怎麼說起佔奪來？”小民道：“原是我家祖上的墓，是他富豪倚勢佔了。”兩家爭個不歇。叫中證問時，各人為着一邊，也沒個的據。晦翁道：“此皆口說無

---

1 朱文公晦翁：指南宋著名理學家朱熹。

憑，待我親去踏看明白。"

　　當下帶了一干人犯及隨從人等，親到墳頭。看見山明水秀，鳳舞龍飛，果然是一個好去處。晦翁心裏道："如此吉地，怪道有人爭奪。"心裏先有些疑心，必是小民先世葬着，大姓看得好，起心要他的了。大姓先稟道："這是小人家裏新造的墳，泥土工程，一應皆是新的，如何說是他家舊墳？相公龍目一看，便了然明白。"小民道："上面新工程是他的，底下須有老土。這原是家裏的，他奪了才裝新起來。"晦翁叫取鋤頭鐵鍬，在墳前挖開來看。挖到鬆泥將盡之處，鐺的一聲響，把個挖泥的人振得手疼。撥開浮泥看去，乃是一塊青石頭，上面依稀有字，晦翁叫取起來看。從人拂去泥沙，將水洗淨，字文見將出來，卻是"某氏之墓"四個大字；旁邊刻着細行，多是小民家裏祖先名字。大姓吃驚道："這東西那裏來的？"晦翁喝道："分明是他家舊墳，你倚強奪了他的！石刻見在，有何可說？"小民只是叩頭道："青天在上，小人再不必多口了。"晦翁道是見得已真，起身竟回縣中，把墳斷歸小民，把大姓問了個強佔田土之罪。小民口口"青天"，拜謝而去。

　　晦翁斷了此事，自家道："此等鋤強扶弱的事，不是我，誰人肯做？"深為得意，豈知反落了奸民之計！元來小民詭詐，曉得晦翁有此執性，專怪富豪大戶欺侮百姓，此本是一片好心，卻被他們看破的拿定了。因貪大姓所做墳地風水好，造下一計，把青石刻成字，偷埋在他墓前了多時，忽然告此一狀。大姓睡夢之中，說是自家新做的墳，一看就明白的。誰知地下先做成此等圈套，當官發將出來。晦翁見此明驗，豈得不信？況且從來只有大家佔小人的，那曾見有小人謀大家的？所以執法而斷。那大姓委實受冤，心裏不伏，到上邊監司處再告將下來，仍發崇安縣問理。晦翁越加嗔惱，道是大姓刁悍抗拒。一發狠，着地方勒令大姓遷出棺柩，把地給與小民安厝祖先，了完事件。爭奈外邊多曉得是小民欺詐，晦翁錯問了事，公議不平，沸騰喧嚷，也有風聞到晦翁耳朵內。晦翁認是大姓力量大，致得人言如此，慨然歎息道：「看此世界，直道終不可行！」遂棄官不做，隱居本處武夷山中。

後來有事經過其地，見林木蓊然，記得是前日踏勘斷還小民之地。再行閒步一看，看得風水真好，葬下該大發人家。因尋其旁居民問道：「此是何等人家，有福分葬此吉地？」居民道：「若說這家墳墓，多是欺心得來的。難道有好風水報應他不成？」晦翁道：「怎生樣欺心？」居民把小民當日埋石在墓內，騙了縣官，詐了大姓這塊墳地，葬了祖先的話，是長是短，各細說了一遍。晦翁聽罷，不覺兩頰通紅，悔之無及，道：「我前日認是奉公執法，怎知反被奸徒所騙！」一點恨心自丹田裏直貫到頭頂來。想道：「據着如此風水，該有發跡好處；據着如此用心貪謀來的，又不該有好處到他了。」遂對天祝下四句道：

此地若發，是有地理；
此地不發，是有天理。

祝罷而去。是夜大雨如傾，雷電交作，霹靂一聲，屋瓦皆響。次日看那墳墓，已毀成了潭，連屍棺多不見了。可見有了成心，雖是晦庵大賢，不能無誤。及後來事體明白，才知悔悟，天就顯出報應來，此乃天理不泯之處。人若欺心，就騙過了聖賢，佔過了便宜，葬過了風水，天地原不容的。

　　而今為何把這件說這半日？只為朱晦翁還有一件為着成心上邊硬斷一事，屈了一個下賤婦人，反致得他名聞天子，四海稱揚，得了個好結果。有詩為證：

　　　　白面秀才落得爭，紅顏女子落得苦。
　　　　寬仁聖主兩分張，反使娟流名萬古。

　　話說天臺營中有一上廳行首，姓嚴名蕊，表字幼芳，乃是個絕色的女子。一應琴棋書畫，歌舞管弦之類，無所不通。善能作詩詞，多自家新造句子，詞人推服。又博曉古今故事。行事最有義氣，待人常是真心。所以人見了的，沒一個不失魂蕩魄在他身上。四方聞其大名，有少年子弟慕他的，不遠千里，直到臺州來求一識面。正是：

　　　　十年不識君王面，始信嬋娟解誤人。

　　此時臺州太守乃是唐與正，字仲友，少年高才，風流文彩。宋時法度，官府有酒，皆召歌妓承應，只站着歌唱送酒，不許私侍寢席；卻是與他謔浪狎昵，也算不得許多清處。仲友見嚴蕊如此十全可喜，盡有眷顧之意，只為官箴拘束，不敢胡為。但是良辰佳節，或賓客席上，必定召他來侑酒。一日，紅白桃花盛開，仲友置酒賞玩，嚴蕊少不得來供應。飲酒中間，仲友曉得他善於詞詠，就將紅白桃花為題，命賦小詞。嚴蕊應聲成一闋，詞云：

道是梨花不是，道是杏花不是。白白與紅紅，
別是東風情味。曾記，曾記，人在武陵微醉。

——詞寄《如夢令》

　　吟罷，呈上仲友。仲友看畢大喜，賞了他兩匹縑帛。
　　又一日，時逢七夕，府中開宴。仲友有一個朋友謝元卿，極
是豪爽之士，是日也在席上。他一向聞得嚴幼芳之名，今得相
見，不勝欣幸。看了他這些行動舉止，談諧歌唱，件件動人，
道：「果然名不虛傳！」大觥連飲，興趣愈高。對唐太守道：「久
聞此子長於詞賦，可當面一試否？」仲友道：「既有佳客，宜賦
新詞。此子頗能，正可請教。」元卿道：「就把七夕為題，以小
生之姓為韻，求賦一詞。小生當飲滿三大甌。」嚴蕊領命，即口
吟一詞道：

　　碧梧初墜，桂香才吐，池上水花初謝。穿針人
在合歡樓，正月露玉盤高瀉。蛛忙鵲懶，耕慵織
倦，空做古今佳話。人間剛到隔年期，怕天上方才
隔夜。

——詞寄《鵲橋仙》

　　詞已吟成，元卿三甌酒剛吃得兩甌，不覺躍然而起道：「詞
既新奇，調又適景，且才思敏捷，真天上人也！我輩何幸，得親
沾芳澤！」亟取大觥相酬，道：「也要幼芳公飲此甌，略見小生
欽慕之意。」嚴蕊接過吃了。太守看見兩人光景，便道：「元卿
客邊，可到嚴子家中做一程兒伴去。」元卿大笑，作個揖道：

"不敢請耳，固所願也。但未知幼芳心下如何。"仲友笑道："嚴子解人，豈不願事佳客？況為太守做主人，一發該的了。"嚴蕊不敢推辭得。酒散，竟同謝元卿一路到家，是夜遂留同枕席之歡。元卿意氣豪爽，見此佳麗聰明女子，十分趁懷，只恐不得他歡心，在太守處凡有所得，盡情送與他家，留連半年，方才別去，也用掉若干銀兩，心裏還是歉然的，可見嚴蕊真能令人消魂也。表過不題。

且說婺州永康縣有個有名的秀才，姓陳名亮，字同父。賦性慷慨，任俠使氣，一時稱為豪傑。凡縉紳士大夫有氣節的，無不與之交好。淮帥辛稼軒居鉛山時，同父曾去訪他。將近居旁，遇一小橋，騎的馬不肯走。同父將馬三躍，馬三次退卻。同父大怒，拔出所佩之劍，一劍揮去馬首，馬倒地上。同父面不改容，徐步而去。稼軒適在樓上看見，大以為奇，遂與定交。平日行徑如此，所以唐仲友也與他相好。因到臺州來看仲友，仲友資給館穀，留住了他。閒暇之時，往來講論。仲友喜的是俊爽名流，惱的是道學先生。同父意見亦同，常說道："而今的世界只管講那道學。說正心誠意的，多是一班害了風痹病，不知痛癢之人。君父大仇全然不理，方且揚眉袖手，高談性命，不知性命是甚麼東西！"所以與仲友說得來。只一件，同父雖怪道學，卻與朱晦庵相好，晦庵也曾薦過同父來。同父道他是實學有用的，不比世儒迂闊。惟有唐仲友平日恃才，極輕薄的是朱晦庵，道他字也不識的。為此，兩個議論有些左處。

同父客邸興高，思遊妓館。此時嚴蕊之名佈滿一郡，人多曉得是太守相公作興的，異樣興頭，沒有一日閒在家裏。同父是個爽利漢子，那裏有心情伺候他空閒？聞得有一個趙娟，色藝雖在嚴蕊之下，卻也算得是個上等的行院，臺州數一數二的。同父就在他家遊耍，繾綣多時，兩情歡愛。同父揮金如土，毫無吝嗇。妓家見他如此，百倍趨承。趙娟就有嫁他之意，同父也有心要娶趙娟，兩個商量了幾番，彼此樂意。只是是個官身，必須落籍[①]，方可從良嫁人。同父道："落籍是府間所主，只須與唐仲友一說，易如反掌。"趙娟道："若得如此最好。"陳同父特為此來府裏見唐太守，把此意備細說了。唐仲友取笑道："同父是當今第一流人物，在此不交嚴蕊而交趙娟，何也？"同父道："吾輩情之所鍾，便是最勝，那見還有出其右者？況嚴蕊乃守公所屬意，即使與交，肯便落了籍放他去否？"仲友也笑將起來道："非是屬意，果然嚴蕊若去，此邦便覺無人，自然使不得！若趙娟要脫籍，無不依命。但不知他相從仁兄之意已決否？"同父道："察其詞意，似出至誠。還要守公贊襄，作個月老。"仲友道："相從之事，出於本人情願，非小弟所可贊襄，小弟只管與他脫籍便了。"同父別去，就把這話回覆了趙娟，大家歡喜。

次日，府中有宴，就喚將趙娟來承應。飲酒之間，唐太守問趙娟道："昨日陳官人替你來說，要脫籍從良，果有此事否？"

---

1 落籍：在官家花名冊上註冊的妓女，要想從良必須先從冊上除名。

趙娟叩頭道："賤妾風塵已厭，若得脫離，天地之恩！"太守道："脫籍不難。脫籍去，就從陳官人否？"趙娟道："陳官人名流貴客，只怕他嫌棄微賤，未肯相收。今若果有心於妾，妾焉敢自外？一脫籍就從他去了。"太守心裏想道："這妮子不知高低，輕意應承，豈知同父是個殺人不眨眼的漢子？況且手段揮霍，家中空虛，怎能了得這妮子終身？"也是一時間為趙娟的好意，冷笑道："你果要從了陳官人到他家去，須是會忍得飢，受得凍才使得。"趙娟一時變色，想道："我見他如此撒漫使錢，道他家中必然富饒，故有嫁他之意；若依太守的說話，必是個窮漢子，豈能了我終身之事？"好些不快活起來。唐太守一時取笑之言，只道他不以為意。豈知姊妹行[1]中心路最多，一句關心[2]，陡然疑變。唐太守雖然與了他脫籍文書，出去見了陳同父，並不提起嫁他的說話了。連相待之意，比平日也冷淡了許多。同父心裏怪道："難道娼家薄情得這樣滲瀨，哄我與他脫了籍，他就不作準了？"再把前言問趙娟。趙娟回道："太守相公說來，到你家要忍凍餓。這着甚麼來由？"同父聞得此言，勃然大怒道："小唐這樣憊賴！只許你喜歡嚴蕊罷了，也須有我的說話處。"他是個直性尚氣的人，也就不戀了趙家，也不去別唐太守，一徑到朱晦庵處來。

此時朱晦庵提舉浙東常平倉，正在婺州。同父進去，相見已畢，問說是臺州來，晦庵道："小唐在臺州如何？"同父道："他只曉得有個嚴蕊，有甚別勾當？"晦庵道："曾道及下官否？"

---

1 姐妹行：指作妓女的。

2 關心：觸到心中痛處。

同父道：「小唐說公尚不識字，如何做得監司？」晦庵聞之，默然了半日。蓋是晦庵早年登朝，茫茫仕宦之中，著書立言，流佈天下，自己還有些不謙意處。見唐仲友少年高才，心裏常疑他要來輕薄的。聞得他說已不識字，豈不愧怒！怫然道：「他是我屬吏，敢如此無禮！」然背後之言未卜真偽，遂行一張牌下去，說：「臺州刑政有枉，重要巡歷。」星夜到臺州來。

晦庵是有心尋不是的，來得急促。唐仲友出於不意，一時迎接不及，來得遲了些。晦庵信道是同父之言不差，果然如此輕薄，不把我放在心上！這點惱怒再消不得了。當日下馬，就追取了唐太守印信，交付與郡丞，說：「知府不職，聽參。」連嚴蕊也拿來收了監，要問他與太守通姦情狀。晦庵道是仲友風流，必然有染；況且婦女柔脆，吃不得刑拷，不論有無，自然招承，便好參奏他罪名了。誰知嚴蕊苗條般的身軀，卻是鐵石般的性子。隨你朝打暮罵，千棰百拷，只說：「循分供唱，吟詩侑酒是有的，曾無一毫他事。」受盡了苦楚，監禁了月餘，到底只是這樣話。晦庵也沒奈他何，只得糊塗做了「不合蠱惑上官」，狠毒將他痛杖了一頓，發去紹興，另加勘問。一面先具本參奏，大略道：唐某不伏講學，罔知聖賢道理，卻詆臣為不識字；居官不存政體，褻昵娼流。鞫得姦情，再行復奏，取進止。等因。

唐仲友有個同鄉友人王淮，正在中書省當國。也具一私揭，辨晦庵所奏，要他達知聖聽。大略道：朱某不遵法制，一方再按，突然而來。因失迎候，酷逼娼流，妄污職官。公道難泯，力不能使賤婦誣服。尚辱瀆奏，明見欺妄。等因。

孝宗皇帝看見晦庵所奏，正拿出來與宰相王淮平章，王淮也出仲友私揭與孝宗看。孝宗見了，問道：「二人是非，卿意如何？”王淮奏道：“據臣看着，此乃秀才爭閒氣耳。一個道譏了他不識字，一個道不迎候得他。此是真情。其餘言語多是增添的，可有一些的正事麼？多不要聽他就是。”孝宗道：“卿說得是。卻是上下司不和，地方不便，可兩下平調了他每便了。”王淮奏謝道：“陛下聖見極當，臣當分付所部奉行。”

這番京中虧得王丞相幫襯，孝宗有主意，唐仲友官爵安然無事。只可憐這邊嚴蕊吃過了許多苦楚，還不算帳，出本之後，另要紹興去聽問。紹興太守也是一個講學的，嚴蕊解到時，見他模樣標致，太守便道：“從來有色者，必然無德。”就用嚴刑拷他，討拶來拶指。嚴蕊十指纖細，掌背嫩白。太守道：“若是親操井臼的手，決不是這樣，所以可惡！”又要將夾棍夾他。當案孔目稟道：“嚴蕊雙足甚小，恐經挫折不起。”太守道：“你道他足小麼？此皆人力矯揉，非天性之自然也。”着實被他騰倒了一番，要他招與唐仲友通姦的事。嚴蕊照前不招，只得且把來監了，以待再問。

嚴蕊到了監中，獄官着實可憐他，分付獄中牢卒，不許難為，好言問道：“上司加你刑罰，不過要你招認，你何不早招認了？這罪是有分限的。女人家犯淫，極重不過是杖罪，況且已經杖斷過了，罪無重科。何苦捨着身子，熬這等苦楚？”嚴蕊道：“身為賤伎，縱是與太守為好，料然不到得死罪，招認了，有何大害？但天下事，真則是真，假則是假，豈可自惜微軀，信口妄言，以污士大夫！今日寧可置我死地，要我誣人，斷然不成的！”獄官見他詞色凜然，十分起敬，盡把其言稟知太守。太守道：“既如此，只依上邊原斷施行罷。可惡這妮子倔強，雖然上邊發落已過，這裏原要決斷。”又把嚴蕊帶出監來，再加痛杖，這也是奉承晦庵的意思。疊成文書，正要回覆提舉司，看他口氣，別行定奪，卻得晦庵改調消息，方才放了嚴蕊出監。嚴蕊恁地悔氣，官人每自爭閒氣，做他不着，兩處監裏無端的監了兩個月，強坐得他一個不應罪名，到受了兩番科斷；其餘逼招拷打，又是分外的受用。正是：

> 規圓方竹杖，漆卻斷紋琴。
> 好物不動念，方成道學心。

　　嚴蕊吃了無限的磨折，放得出來，氣息奄奄，幾番欲死，將息杖瘡。幾時見不得客，卻是門前車馬，比前更盛。只因死不肯招唐仲友一事，四方之人重他義氣。那些少年尚氣節的朋友，一發道是堪比古來義俠之倫，一向認得的要來問他安，不曾認得的要來識他面，所以挨擠不開。一班風月場中人自然與道學不對，但是來看嚴蕊的，沒一個不罵朱晦庵兩句。

　　晦庵此番竟不曾奈何得唐仲友，落得動了好些脣舌，外邊人言喧沸，嚴蕊聲價騰湧，直傳到孝宗耳朵內。孝宗道："早是前日兩平處了。若聽了一偏之詞，貶謫了唐與正，卻不屈了這有義氣的女子沒申訴處？"

　　陳同父知道了，也悔道："我只向晦庵說得他兩句話，不道認真的大弄起來。今唐仲友只疑是我害他，無可辨處。"因致書與晦庵道：亮平生不曾會說人是非，唐與正乃見疑相譖，真足當田光之死矣。然困窮之中，又自惜此潑命。一笑。看來陳同父只為唐仲友破了他趙娟之事，一時心中憤氣，故把仲友平日說話對晦庵講了出來。原不料晦庵狠毒，就要擺佈仲友起來。至於連累嚴蕊，受此苦拷，皆非同父之意也。這也是晦庵成心不化，偏執之過，以後改調去了。

交代的是岳商卿，名霖。到任之時，妓女拜賀。商卿問："那個是嚴蕊？"嚴蕊上前答應。商卿抬眼一看，見他舉止異人，在一班妓女之中，卻像雞群內野鶴獨立，卻是容顏憔悴。商卿曉得前事，他受過折挫，甚覺可憐。因對他道："聞你長於詞翰，你把自家心事，做成一詞訴我，我自有主意。"嚴蕊領命，略不構思，應聲口占《卜運算元》道：

> 不是愛風塵，似被前緣誤。花落花開自有時，總賴東君主。去也終須去，住也如何住？若得山花插滿頭，莫問奴歸處！

商卿聽罷，大加稱賞道："你從良之意決矣。此是好事，我當為你做主。"立刻取伎籍來，與他除了名字，判與從良。

嚴蕊叩頭謝了，出得門去。有人得知此說的，千金幣聘，爭來求討，嚴蕊多不從他。有一宗室近屬子弟，喪了正配，悲哀過切，百事俱廢。賓客們恐其傷性，拉他到伎館散心。說着別處多不肯去，直等說到嚴蕊家裏，才肯同來。嚴蕊見此人滿面戚容，問知為着喪偶之故，曉得是個有情之人，關在心裏。那宗室也慕嚴蕊大名，飲酒中間，彼此喜樂，因而留住。傾心來往多時，畢竟納了嚴蕊為妾。嚴蕊也一意隨他，遂成了終身結果。雖然不到得夫人、縣君，卻是宗室自取嚴蕊之後，深為得意，竟不續婚。一根一蒂，立了婦名，享用到底，也是嚴蕊立心正直之報也。後人評論這個嚴蕊，乃是真正講得道學的。有七言古風一篇，單說他的好處：

> 天臺有女真奇絕，揮毫能賦謝庭雪。
>
> 搽粉虞侯太守筵，酒酣未必呼燭滅。
>
> 忽爾監司飛檄至，桁楊①橫掠頭搶地。
>
> 章臺不犯士師條，肺石②會疏刺史事。
>
> 賤質何妨輕一死，豈承浪語污君子？
>
> 罪不重科兩得笞，獄吏之威止是耳。
>
> 君侯能講毋自欺，乃遣女子誣人為！
>
> 雖在縲絏非其罪，尼父之語胡忘之？
>
> 君不見貫高③當時白趙王，身無完膚猶自強？
>
> 今日蛾眉亦能爾，千載同聞俠骨香！
>
> 含顰帶笑出狴犴，寄聲合眼閉眉漢。
>
> 山花滿頭歸去來，天潢自有梁鴻案。

串講

　　這是寫被奉為聖人的朱熹的兩個故事。先是寫一個小戶人家狀告一大戶強佔自己的墳地，而大戶辯白這裏本來就是自家的墳地，不存

---

1 桁楊：加在身上的刑具。

2 肺石：古時設在朝廷門外的赤石，石形如肺，故名肺石。民有不平，可擊石鳴冤。

3 貫高：漢初趙王張敖之相，忠心趙王私謀刺殺劉邦，不成身死。

在爭奪的事情。朱熹前去斷案，認為"從來只有大家佔小人的，那曾見小人謀大家的"，於是判定大戶敗訴。誰知這是那小戶人家知道他的性格，故意設下的圈套，後來偶然路過，才知道事情的真相，愧疚不已。接着開始寫他另外一件被人恥笑的故事。臺州城中有一個才色雙全的妓女名叫嚴蕊，太守十分喜歡她的才學，經常帶朋友去聽她唱歌。他的好友謝元卿也十分仰慕嚴蕊，與她結下了深厚友誼。這一天，永康縣秀才陳亮來到臺州，他是一個豪爽任俠之人，也是太守的好友。但是在看待朱熹的看法上，陳亮認為朱熹有真才實學，唐太守則不以為然。太守帶着陳亮去嚴蕊處，陳亮看上了另一個妓女趙娟，希望太守取消她的娼籍。太守滿口應允，在趙娟來拜謝時，出於關心開玩笑說她要去受苦了。趙娟疑心很大，於是開始疏遠陳亮，陳亮問清是太守所說，於是含恨而去，去拜見朱熹。朱熹問起唐太守，陳亮就講起唐對他如何不敬。朱熹大怒，決心要報復。他連夜趕到臺州，先以不稱職為由革除了唐太守的官位，隨後抓起嚴蕊，逼她承認與太守通姦。他以為嚴蕊只是娼妓，一定會招供，到時就可以治太守的罪，誰知道嚴蕊卻不肯說謊陷害太守，因此受盡了嚴刑拷打。幾番審問後，朝中有人替唐太守說話，皇上最後將他官復原職，調往他處。可憐嚴蕊仍然被關在大牢，因為得罪了朱熹，慘遭折磨，但決不陷害別人。兩個月後，她被放了出來，只剩下半條命。因為她寧死不陷害他人，得到眾人的尊敬，很快名揚天下。新來的太守敬重她的為人，取消了她的娼籍。大家聽說之後，紛紛上門求親，最後她嫁給宗室子弟，兩人恩愛相伴終生。

評析

　　這是二拍中比較有名的故事，故事有名並不是因為離奇和曲折，相反，它的情節並不複雜，之所以引起大家關注是因為故事中的人物。首先一向被社會唾棄的妓女作為正面形象走上了舞臺，成為被歌頌的對象。其次是因為她的對立面竟然是被稱為聖人的儒學大師朱熹，在故事中他成了心胸狹窄、公報私仇的小人。這個故事充分反映出明代後期思想解放潮流興起，商品經濟的發達使市民百姓成為社會主角的社會現實。作者本來是想用朱熹這個聖賢說明即使是聖賢，做人不能也過於偏執。但是通過兩個故事，為我們塑造了一個現實生活中真實的朱熹，空疏、迂腐、固執甚至惡劣，為我們剝下了聖賢的面具。讓我們看看作者是如何塑造朱聖人的。由於與唐太守觀念不一，朱熹決心報復。他星夜趕往臺州，不分青紅皂白撤了唐太守的官職，顯得匆忙而武斷，完全喪失了一個道學家應有的風度，將他偏執、淺薄的個性寫了出來。接着寫他為了徹底扳倒唐太守，於是想到朝廷禁止召妓伺寢，變將嚴蕊抓起來拷打，試圖讓她誣陷唐太守，如果說前面是簡單的判斷失誤，那麼現在的有意陷害則凸顯出他的險惡和狡詐。為了讓嚴蕊招供，他指使手下嚴刑拷打，全沒有道學家仁義之心，顯得狠毒異常。由於嚴蕊不肯就範，他拷打一月後，竟又以莫須有的罪名發到紹興，又拷打了一個月，顯出他的固執殘忍。正是在朱熹的假仁假義、兇狠狡詐的對照中，嚴蕊的形象顯得十分高大，她以自己的柔弱之軀，樹立了光明磊落、高潔不屈的精神力量，比之滿口仁義道德的士大夫們，令人崇敬。特別是她在受刑時說道："天下事，真則是真，假則是假，豈可自惜微軀，信口妄言，以污士大夫！今日寧可置我死地，要我誣人，斷然不成的！"可謂擲地有聲。這篇小說表現的思想，是明代後期主張人性解放思想的體現，也是要求衝破倫理道德束縛、恢復人性自由的吶喊。因此，我們可以把它看作是討伐道學的檄文，充滿了思想的光輝。

疊居奇程客得助　三救厄海神顯靈

詩曰：

窈渺神奇事，文人多寓言。

其間應有實，豈必盡虛玄？

話說世間稗官野史中，多有紀載那遇神遇仙、遇鬼遇怪情慾相感之事。其間多有偶因所感撰造出來的，如牛僧孺《周秦行紀》道是僧孺落第時，遇着薄太后，見了許多異代本朝妃嬪美人，如戚夫人、齊潘妃、楊貴妃、昭君、綠珠，詩詞唱和，又得昭君伴寢許多怪誕的話。卻乃是李德裕與牛僧孺有不解之仇，教門客韋瓘作此記誣着他。只說是他自己做的，中懷不臣之心，妄言污蔑妃后，要坐他族滅之罪。這個記中事體，可不是一些影也沒有的了？又有那《后土夫人傳》，說是韋安道遇着后土之神，到家做了新婦，被父母疑心是妖魅，請明崇儼行五雷天心正法，遣他不去。後來父母教安道自央他去，只得去了，卻要安道隨行。安道到他去處，看見五嶽四瀆之神多來朝他。又召天后之靈，囑他予安道官職錢鈔。安道歸來，果見天后傳令洛陽城中訪韋安道，與他做魏王府長史，賜錢五百萬，說得百枝有葉。元來也是借此譏着天后的。後來宋太宗好文，太平興國年間，命史官編集從來小說，以類分載，名為《太平廣記》，不論真的假的，一總收拾在內。議論的道："上自神祇仙子，下及昆蟲草木，無不受了淫褻污點。"道是其中之事，大略是不可信的。不知天下的事，才有假，便有真。那神仙鬼怪，固然有假託的，也原自有真實的。未可執了一個見識，道總是虛妄的事。只看《太平廣記》以後許多記載之書，中間盡多遇神遇鬼的，說得的的確確，難道盡是假託出來不成？

只是我朝嘉靖年間，蔡林屋所記《遼陽海神》一節，乃是千真萬真的。蓋是林屋先在京師，京師與遼陽相近，就聞得人說有個商人遇着海神的說話，半疑半信。後見遼東一個僉憲、一個總兵到京師來，兩人一樣說話，說得詳細，方信其實。也還只曉得在遼的事，以後的事不明白。直到林屋做了南京翰林院孔目，撞着這人來遊雨花臺。林屋知道了，着人邀請他來相會，特問這話，方說得始末根由，備備細細。林屋敘述他覿面自己說的話，作成此傳，無一句不真的。方知從古來有這樣事的，不盡是虛誕了。說話的，畢竟那個人是甚麼人？那個事怎麼樣起？看官聽小子據着傳文，敷演出來。正是：

> 怪事難拘理，明神亦賦情。
> 不知精爽質，何以戀凡生？

話說徽州商人姓程名宰，表字士賢，是彼處漁村大姓，世代儒門，少時多曾習讀詩書。卻是徽州風俗，以商賈為第一等生業，科第反在次着。正德初年，與兄程案將了數千金，到遼陽地方為商，販賣人參、松子、貂皮、東珠之類。往來數年，但到處必定失了便宜，耗折了資本，再沒一番做得着。徽人因是專重那做商的，所以凡是商人歸家，外而宗族朋友，內而妻妾家屬，只看你所得歸來的利息多少為重輕。得利多的，盡皆愛敬趨奉。得利少的，盡皆輕薄鄙笑。猶如讀書求名的中與不中歸來的光景一般。程宰弟兄兩人因是做折了本錢，怕歸來受人笑話，羞慚慘沮，無面目見江東父老，不思量還鄉去了。那徽州有一般做大商賈的，在遼陽開着大舖子，程宰兄弟因是平日裡慣做商的，熟於帳目出入，盤算本利，這些本事，是商賈家最用得着的。他兄弟自無本錢，就有人出些束脩，請下了他專掌帳目，徽州人稱為二朝奉。兄弟兩人，日裏只在舖內掌帳，晚間卻在自賃下處歇宿。那下處一帶兩間，兄弟各住一間，只隔得中間一垛板壁，住在裏頭，就像客店一般湫隘①，有甚快活？也是沒奈何了，勉強度日。

如此過了數年，那年是戊寅年秋間了。邊方地土，天氣早寒，一日晚間風雨暴作。程宰與兄各自在一間房中，擁被在床，想要就枕。因是寒氣逼人，程宰不能成寐，翻來覆去，不覺思念家鄉起來。只得重復穿了衣服，坐在床裏浩歎數聲，自想如此淒涼情狀，不如早死了到乾淨。此時燈燭已滅，又無月光，正在黑暗中苦捱着寒冷。忽地一室之中，豁然明朗，照耀如同白日。室中器物之類，纖毫皆見。程宰心裏疑惑，又覺異香撲鼻，氤氳滿室，毫無風雨之聲，頓然和暖，如江南二三月的氣候起來，程宰越加驚愕，自想道：“莫非在夢境中了？”不免走出外邊，看是如何。他原披衣服在身上的，亟跳下床來，走到門邊開出去看，只見外邊陰黑風雨，寒冷得不可當。慌忙奔了進來，才把門關上，又是先前光景，滿室明朗，別是一般境界。程宰道：“此必是怪異。”心裏慌怕，不敢動腳步，只在床上高聲大叫。其兄程

---

1 湫隘：低洼狹窄。

寀止隔得一層壁，隨你喊破了喉嚨，莫想答應一聲。

程宰着了急，沒奈何了，只得鑽在被裏，把被連頭蓋了，撒得緊緊，向裏壁睡着，圖得個眼睛不看見，憑他怎麼樣了。卻是心裏明白，耳朵裏聽得出的，遠遠的似有車馬喧闐之聲，空中管弦金石音樂迭奏，自東南方而來，看看相近，須臾間，已進

房中。程宰輕輕放開被角，露出眼睛偷看，只見三個美婦人，朱顏綠鬢，明眸皓齒，冠帷盛飾，有像世間圖畫上后妃的打扮，渾身上下，金翠珠玉，光采奪目；容色風度，一個個如天上仙人，絕不似凡間模樣，年紀多只可二十餘歲光景。前後侍女無數，盡皆韶麗非常，各有執事，自分行列。但見：或提爐，或揮扇；或張蓋，或帶劍；或持節；或捧琴；或秉燭花；或挾圖書；或列寶玩，或荷旌幢；或擁衾褥；或執巾帨；或奉盤匜，或挈如意；或舉殽核，或陳屏障；或布几筵，或陳音樂。雖然紛紜雜杳，仍自嚴肅整齊，只此一室之中，隨從何止數百？說話的，你錯了，這一間空房，能有多大，容得這幾百人？若一個個在這扇房門裏走將進來，走也走他一兩個更次，擠也要擠坍了。看官，不是這話，列位曾見《維摩經》上的說話麼？那維摩居士止方丈之室，乃有諸天皆在室內，又容得十萬八千獅子坐，難道是地方着得

去？無非是法相神通。今程宰一室有限，那光明境界無盡。譬如一面鏡子能有多大？內中也着了無盡物像。這只是個現相，所以容得數百個人，一時齊在面前，原不是從門裏一個兩個進來的。

閒話休絮，且表正事。那三個美人內中一個更覺齊整些的，走到床邊，將程宰身上撫摩一過，隨即開鶯聲吐燕語，微微笑道：“果然睡熟了麼？吾非是有害於人的，與郎君有夙緣，特來相就，不必見疑。且吾已到此，萬無去理，郎君便高聲大叫，必無人聽見，枉自苦耳。不如作速起來，與吾相見。”程宰聽罷，心裏想道：“這等靈變光景，非是神仙，即是鬼怪。他若要擺佈着我，我便不起來，這被頭裏豈是躲得過的？他既說是有夙緣，或者無害，也不見得。我且起來見他，看是怎地。”遂一轂轆跳將起來，走下臥床，整一整衣襟，跪在地下道：“程宰下界愚夫，不知真仙降臨，有失迎迓，罪合萬死，伏乞哀憐。”美人急將纖纖玉手一把拽將起來道：“你休俱怕，且與我同坐着。”挽着程宰之手，雙雙南面坐下。那兩個美人，一個向西，一個向東，相對侍坐。坐定，東西兩美人道：“今夕之會，數非偶然，不要自生疑慮。”即命侍女設酒進饌，品物珍美，生平目中所未曾睹。才一舉箸，心胸頓爽。美人又命取紅玉蓮花巵進酒。巵形絕大，可容酒一升。程宰素不善酌，竭力推辭不飲。美人笑道：“郎怕醉麼？此非人間麴蘗所醞，不是吃了迷性的，多飲不妨。”手舉一巵，親奉程宰。程宰不過意，只得接了到口，那酒味甘芳，卻又爽滑清冽，毫不粘滯，雖要醴泉甘露的滋味有所不及。程宰覺得好吃，不覺一巵俱盡。美人又笑道：“郎信吾否？”一連又進數巵，三美人皆陪飲。程宰越吃越清爽，精神頓開，略無醉意。每進一巵，侍女們八音齊奏，音調清和，令人有超凡遺世之想。

　　酒闌，東西二美人起身道："夜已向深，郎與夫人可以就寢矣。"隨起身褰帷拂枕，疊被鋪床，向南面坐的美人告去，其餘侍女一同隨散。眼前凡百具器，霎時不見，門戶皆閉，又不知打從那裏去了。當下止剩得同坐的美人一個，挽着程宰道："眾人已散，我與郎解衣睡罷。"程宰私自想道："我這床上布衾草褥，怎麼好與這樣美人同睡的？"舉眼一看，只見枕衾帳褥，盡皆換過，錦繡珍奇，一些也不是舊時的了。程宰雖是有些驚惶，卻已神魂飛越，心裏不知如何才好，只得一同解衣鋪床。美人卸了簪珥，徐徐解開髻髮縚辮，總綰起一窩絲來。那髮又長又黑，光明可鑒。脫下裏衣，肌膚瑩潔，滑若凝脂，側身相就，程宰躺着，遍體酥麻了。真個是：豐若有餘，柔若無骨。雲雨初交，流丹浹藉。若遠若近，宛轉嬌怯。儼如處子，含苞初坼。

　　程宰客中荒涼，不意得了此味，真個魂飛天外，魄散九霄，實出望外，喜之如在。美人也自愛着程宰，枕上對他道："世間花月之妖，飛走之怪，往往害人，所以世上說着便怕，惹人憎惡。我非此類，郎慎勿疑。我得與郎相遇，雖不能大有益於郎，亦可使郎身體康健，資用豐足。倘有患難之處，亦可出小力周全，但不可漏泄風聲。就是至親如兄，亦慎勿使知道。能守吾戒，自今以後便當恒奉枕席，不敢有廢；若有一漏言，不要說我不能來，就有大禍臨身，吾也救不得你了。慎之！慎之！"程宰聞言甚喜，合掌罰誓道："某本凡賤，誤蒙真仙厚德，雖粉身碎骨，不能為報！既承法旨，敢不銘心？倘違所言，九死無悔！"誓畢，美人大喜，將手來勾着程宰之頸說道："我不是仙人，實海神也。與郎有夙緣甚久，故來相就耳。"語話纏綿，恩愛萬狀。不覺鄰雞已報曉二次。美人攬衣起道：“吾今去了，夜當復來。郎君自愛。”說罷，又見昨夜東西坐的兩個美人與眾侍女，齊到床前，口裏多稱“賀喜夫人郎君！”美人走下床來，就有捧家伙的侍女，各將梳洗應有的物件，伏侍梳洗罷。仍帶簪珥冠帔，一如昨夜光景。美人執着程宰之手，叮嚀再四不可洩漏，徘徊眷戀，不忍捨去。眾女簇擁而行，尚回顧不止，人間夫婦，無此愛厚。

程宰也下了床，穿了衣服，佇立細看，如癡似呆，歡喜依戀之態，不能自禁。轉眼間室中寂然，一無所見。看那門窗，還是昨日關得好好的。回頭再看看房內，但見：土坑上鋪一帶荊筐，蘆蓆中拖一條布被。欹頹牆角，堆零星幾塊煤煙，坍塌地爐，擺缺綻一行瓶罐。渾如古廟無香火，一似牢房不潔清。程宰恍然自失道：“莫非是做夢麼？”定睛一想，想那飲食笑語以及交合之狀，盟誓之言，歷歷有據，絕非是夢寐之境，肚裏又喜又疑。

頃刻間天已大明，程宰思量道：“吾且到哥哥房中去看一看，莫非夜來事體，他有些聽得麼？”走到間壁，叫聲“阿哥！”程案正在床上起來，看見了程宰，大驚道：“你今日面上神彩異常，不似平日光景，甚麼緣故？”程宰心裏躊躇，道：“莫非果有些甚麼怪樣，惹他們疑心？”只得假意說道：“我與你時乖運蹇，失張失志，落魄在此，歸家無期。昨夜暴冷，愁苦的當不得，輾轉悲歡，一夜不曾合眼，阿哥必然聽見的。有甚麼好處，卻說我神彩異常起來？”程案道：“我也苦冷，又想着家鄉，通夕不寐，聽你房中靜悄悄地不聞一些聲響，我怪道你這樣睡得熟。何曾有愁歡之聲，卻說這個話！”程宰見哥哥說了，曉得哥哥不曾聽見夜來的事了，心中放下了疙瘩，等程案梳洗了，一同到舖裏來。

那舖裏的人見了程宰，沒一個不吃驚道："怎地今日程宰哥面上，這等光彩？"程案對兄弟笑道："我說麼？"程宰只做不曉得，不來接口。卻心裏也自覺神思清爽，肌肉潤澤，比平日不同，暗暗快活，惟恐他不再來了。是日頻視晷影，恨不速移。剛才傍晚，就回到下處，託言腹痛，把門局閉，靜坐虔想，等待消息。到得街鼓初動，房內忽然明亮起來，一如昨夜的光景。程宰顧盼間，但見一對香爐前導，美人已到面前。侍女止是數人，儀從之類稀少，連那旁坐的兩個美人也不來了。美人見程宰嘿坐相等，笑道："郎果有心如此，但須始終如一方好。"即命侍女設饌進酒，歡謔笑談，更比昨日熟分親熱了許多。須臾撤席就寢，侍女俱散。顧看床褥，並不曾見有人去鋪設，又復錦繡重疊。程宰心忖道："床上雖然如此，地下塵埃穢污，且看是怎麼樣的？"才一起念，只見滿地多是錦茵鋪襯，毫無寸隙了。是夜兩人綢繆好合，愈加親狎。依舊雞鳴兩度，起來梳妝而去。

此後人定即來，雞鳴即去，率以為常，竟無虛夕。每來必言語喧鬧，音樂鏗鏘，兄房只隔層壁，到底影響不聞，也不知是何法術如此。自此情愛愈篤。程宰心裏想要甚麼物件，即刻就有，極其神速。一日，偶思閩中鮮荔枝，即有帶葉百餘顆，香味珍美，顏色新鮮，恰像樹上才摘下的；又說此味只有江南楊梅可以相匹，便有楊梅一枝，墜於面前，枝上有二萬餘顆，甘美異常。此時已是深冬，況此二物皆不是北地所產，不知何自得來。又一夕談及鸚鵡，程宰道："聞得說有白的，惜不曾見。"才說罷，便有幾隻鸚鵡飛舞將來，白的、五色的多有，或誦佛經，或歌詩賦，多是中土官話。

一日，程宰在市上看見大商將寶石二顆來賣，名為硬紅，色若桃花，大似拇指，索價百金。程宰夜間與美人說起，口中嘖嘖稱為罕見。美人撫掌大笑道："郎君如此眼光淺，真是夏蟲不可語冰，我教你看看。"說罷，異寶滿室；珊瑚有高丈餘的，明珠有如雞卵的，五色寶石有大如栲栳的，光豔奪目，不可正視。程宰左顧右盼，應接不暇。須臾之間，盡皆不見。程宰自思："我夜間無欲不遂，如此受用，日裏仍是人家傭工，美人那知我心事來！"遂把往年貿易耗折了數千金，以致流落於此告訴一遍，不勝嗟歎。美人又撫掌大笑道："正在歡會時，忽然想着這樣俗事來，何乃不脫灑如此！雖然，這是郎的本業，也不要怪你。我再教你看一個光景。"說罷，金銀滿前，從地上直堆至屋樑邊，不計其數。美人指着問程宰道："你可要麼？"程宰是個做商人的，見了偌多金銀，怎不動火。心熱口饞，支手舞腳，卻待要取。美人將箸去饌碗內夾肉一塊，擲程宰面上道："此肉粘得在你面上麼？"程宰道："此是他肉，怎麼粘得在吾面上？"美人指金銀道："此亦是他物，豈可取為己有？若目前取了些，也無不可。只是非分之物，得了反要生禍。世人為取了不該得的東西，後來加倍喪去的，或連身子不保的，何止一人一事？我豈忍以此誤你！你若要金銀，你可自去經營，吾當指點路徑，暗暗助你，這便使得。"程宰道："只這樣也好了。"

　　其時是己卯初夏，有販藥材到遼東的，諸藥多賣盡，獨有黃柏、大黃兩味賣不去，各剩下千來斤，此是賤物，所值不多。那賣藥的見無人買，只思量丟下去了。美人對程宰道："你可去買了他的，有大利錢在裏頭"。程宰去問一問價錢，那賣的巴不得脫手，略得些就罷了。程宰深信美人之言，料必不差，身邊積有傭工銀十來兩，盡數買了他的。歸來搬到下處，哥子程寀看見纍纍堆堆偌多東西，卻是兩味草藥。問知是十多兩銀子買的，大罵道：「你敢失心瘋了！將了有用的銀子，置這樣無用的東西。雖然買得賤，這偌多幾時脫得手去，討得本利到手？有這樣失算的事！」誰知隔不多日，遼東疫癘盛作，二藥各鋪多賣缺了，一時價錢騰貴起來，程宰所有多得了好價，賣得罄盡，共賣了五百餘兩。程寀不知就裏，只說是兄弟偶然造化到了，做着了這一樁生意，大加欣羨道：「倖不可屢僥，今既有了本錢，該圖些傍實的利息，不可造次了。」程宰自有主意，只不說破。

過了幾日，有個荊州商人販彩緞到遼東的，途中遭雨濕霉黦[1]，多發了斑點，一匹也沒有顏色完好的。荊商日夜啼哭，惟恐賣不去了，只要有捉手便可成交，價錢甚是將就。美人又對程宰道：「這個又該做了。」程宰罄將前日所得五百兩銀子，買他五百匹，荊商大喜而去。程寀見了道：「我說你福薄，前日不意中得了些非分之財，今日就倒灶[2]了。這些彩緞，全靠顏色，顏色好時，頭二兩一匹還有便宜；而今斑斑點點，那個要他？這五百兩不撩在水裏了？似此做生意，幾時能勾掙得好日回家？」說罷大慟。眾商夥中知得這事，也有惜他的，也有笑他的。誰知時運到了，自然生出巧來。程宰屯放彩緞，不上一月，江西寧王宸濠造反，殺了巡撫孫公、副使許公，謀要順流而下，破安慶，取南京，僭寶位，東南一時震動。朝廷急調遼兵南討，飛檄到來，急如星火。軍中戎裝旗幟之類，多要整齊，限在頃刻，這個邊地上

---

1 霉黦：發霉成淺青黑色。

2 倒灶：倒霉了。

那裏立地有這許多緞匹，一時間價錢騰貴起來，只買得有就是，好歹不論，程宰所買這些斑斑點點的盡多得了三倍的好價錢。這一番除了本錢五百兩，分外足足賺了千金。

庚辰秋間，又有蘇州商人販布三萬匹到遼陽，陸續賣去，已有二萬三四千匹了。剩下粗些的，還有六千多匹，忽然家信到來，母親死了，急要奔喪回去。美人又對程宰道：「這件事又該做了。」程宰兩番得利，心知靈驗，急急去尋他講價。那蘇商先賣去的，得利已多了。今止是餘剩，況歸心心急，只要一夥賣，便照原來價錢也罷。程宰遂把千金盡數買了他這六千多匹回來。明年辛巳三月，武宗皇帝駕崩，天下人多要戴着國喪。遼東遠在塞外，地不產布，人人要件白衣，一時那討得許多布來？一匹粗布，就賣得七八錢銀子，程宰這六千匹，又賣了三四千兩。如此事體，逢着便做，做來便希奇古怪，得利非常，記不得許多。四五年間，輾轉弄了五七萬兩，比昔年所折的，到多了幾十倍了。正是：

人棄我堪取，奇贏自可居。
雖然神暗助，不得浪貪圖。

且說遼東起初聞得江西寧王反時，人心危駭，流傳訛言，紛紛不一。有的說在南京登基了，有的說兵過兩淮了，有的說過了臨清到德州了。一日幾番說話，也不知那句是真，那句是假。程宰心念家鄉切近，頗不自安。私下問美人道：「那反叛的到底如何？」美人微笑道：「真天子自在湖、湘之間，與他甚麼相干！他自要討死吃，故如此猖狂，不日就擒了，不足為慮！」此是七月下旬的說話，再過月餘報到，果然被南贛巡撫王陽明擒了解京。程宰見美人說天子在湖、湘，恐怕江南又有戰爭之事，心中仍舊懼怕，再問美人。美人道："不妨，不妨。國家慶祚靈長，天下方享太平之福，只在一二年了。"後來嘉靖自湖廣興藩，入繼大統，海內安寧，悉如美人之言。

到嘉靖甲申年間，美人與程宰往來，已是七載，兩情繾綣，猶如一日。程宰囊中幸已豐富，未免思念故鄉起來。一夕，對美人道："某離家已二十年了，一向因本錢耗折，回去不得。今蒙大造，囊資豐饒，已過所望。意欲暫與家兄歸到鄉里，一見妻子，便當即來，多不過一年之期，就好到此永奉歡笑，不知可否？"美人聽罷，不覺驚歎道："數年之好，止於此乎？郎宜自愛，勉圖後福。我不能伏侍左右了。"歔欷泣下，悲不自勝。程宰大駭道："某暫時歸省，必當速來，以圖後會，豈敢有負恩私？夫人乃說此斷頭話。"美人哭道："大數當然，彼此做不得主。郎適發此言，便是數當永訣了。"言猶未已，前日初次來的東西二美人，及諸侍女儀從之類，一時皆集。音樂競奏，盛設酒筵。美人自起酌酒相勸，追敘往時初會與數年情愛，每說一句，哽咽難勝。程宰大聲號慟，自悔失言，恨不得將身投地，將頭撞壁，兩情依依，不能相捨。諸女前來稟白道："大數已終，法駕齊備，速請夫人登途，不必過傷了。"美人執著程宰之手，一頭垂淚，一頭分付道："你有三大難，今將近了，時時宜自警省，至期吾自來相救。過了此後，終身吉利，壽至九九，吾當在蓬萊三島等你來續前緣。你自宜居心清淨，力行善事，以副吾望。吾與你身雖隔遠，你一舉一動吾必曉得，萬一做了歹事，以致墮落，犯了天條，吾也無可周全了。後會迢遙，勉之！勉之！"叮寧了又叮寧，何止十來番？程宰此時神志俱喪，說不出一句話，只好唯唯應承，蘇蘇落淚而已。正是：

世上萬般哀苦事，無非死別與生離。
天長地久有時盡，此恨綿綿無限期。

須臾鄰雞群唱，侍女催促，訣別啟行。美人還回頭顧盼了三四番，方才寂然一無所見。但有：

蟋蟀悲鳴，孤燈半減；淒風蕭颯，鐵馬玎鐺。
曙星東升，銀河西轉。頃刻之間，已如隔世。

程宰不勝哀痛，望着空中禁不住的號哭起來。才發得聲，哥子程案隔房早已聽見，不像前番隨你間壁翻天覆地總不知道的。哥子聞得兄弟哭聲，慌忙起來問其緣故。程宰支吾道：“無過是思想家鄉。”口裏強說，聲音還是淒咽的。程案道：“一向流落，歸去不得。今這幾年來生意做得着，手頭饒裕，要歸不難，為何反哭得這等悲切起來？從來不曾見你如此，想必有甚傷心之事，休得瞞我！”程宰被哥子說破，曉得瞞不住，只得把昔年遇合美人夜夜的受用，及生意所以做得着以致豐富，皆出美人之助，從頭至尾述了一遍。程案驚異不已，望空禮拜。明日與客商伴裏說了，遼陽城內外沒一個不傳說程士賢遇海神的奇話。程宰自此終日鬱鬱不樂，猶如喪偶一般，與哥子商量收拾南歸。其時有個叔父在大同做衛經歷①，程宰有好幾時不相見了，想道：

---

1 經歷：掌出納文書的官員。

"今番歸家，不知幾時又到得北邊。須趁此便打那邊走一遭，看叔叔一看去。"先打發行李貲囊付託哥子程宰監押，從潞河下在船內，沿途等候着他。

他自己卻僱了一個牲口，由京師出居庸關，到大同地方見了叔父，一家骨肉，久別相聚，未免留連幾日，不得動身。晚上睡去，夢見美人定來催促道："禍事到了，還不快走！"程宰記得臨別之言，慌忙向叔父告行。叔父又留他餞別，直到將晚方出得大同城門。時已天黑，程宰道總是前途趕不上多少路罷了，不如就在城外且安宿了一晚，明日早行。睡到三鼓，夢中美人又來催道："快走！快走！大難就到，略遲脫不去了！"程宰當時驚醒，不管天早天晚，騎了牲口忙趕了四五里路，只聽得炮聲連響，回頭看那城外時，火光燭天，照耀如同白日，元來是大同軍變。且道如何是大同軍變？大同參將賈鑒不給軍士行糧，軍士鼓噪，殺了賈鑒。巡撫都御史張文錦出榜招安，方得平靜。張文錦密訪了幾個為頭的，要行正法，正差人出來擒拿。軍士重番鼓噪起來，索性把張巡撫也殺了，據了大同，謀反朝廷。要搜尋內外壯丁一同叛逆，故此點了火把出城，凡是飯店經商，盡被拘刷了轉去，收在夥內，無一得脫。若是程宰遲了些個，一定也拿將去了。此是海神來救了第一遭大難了。

程宰得脫，兼程到了居庸，夜宿關外，又夢見美人來催道："趁早過關，略遲一步就有牢獄之災了。"程宰又驚將起來，店內同宿的多不曾起身。他獨自一個急到關前，挨門而進。行得數里，忽然宣府軍門行將文書來，因為大同反亂，恐有奸細混入京師，凡是在大同來進關者，不是公差吏人有官文照驗在身者，盡收入監內，盤詰明白，方准釋放。是夜與程宰同宿的人，多被留住下在獄中。後來有到半年方得放出的，也有染了病竟死在獄中的。程宰若非文書未到之前先走脫了，便乾淨無事，也得耐煩坐他五七月的監。此是海神來救他第二遭的大難了。

程宰趕上了潞河船隻，見了哥子，備述一路遇難，因夢中報信得脫之故，兩人感念不已。一路無話，已到了淮安府高郵湖中，忽然：

黑雲密佈，狂風怒號。水底老龍驚，半空猛虎嘯。左掀右蕩，渾如落在簸箕中；前簸後顛，宛似滾起飯鍋內。雙檜折斷，一舵飄零。等閒要見閻王，立地須游水府。

正在危急之中，程宰忽聞異香滿船，風勢頓息。須臾黑霧四散，中有彩雲一片，正當船上。雲中現出美人模樣來，上半身毫髮分明，下半身霞光擁蔽，不可細辨。程宰明知是海神又來救他，況且別過多時，不能廝見，悲感之極，涕泗交下。對着雲中只是磕頭禮拜，美人也在雲端舉手答禮，容

色戀戀，良久方隱。船上人多不見些甚麼，但見程宰與空中施禮之狀，驚疑來問。程宰備說緣故如此，盡皆瞻仰。此是海神來救他第三遭的大難，此後再不見影響了。

後來程宰年過六十，在南京遇着蔡林屋時，容顏只像四十來歲的，可見是遇着異人無疑。若依着美人蓬萊三島之約，他日必登仙路也。但不知程宰無過是個經商俗人，有何緣分得有此一段奇遇？說來也不信，卻這事是實實有的。可見神仙鬼怪之事，未必盡無，有詩為證：

> 流落邊關一俗商，卻逢神眷不尋常。
> 寧知鍾愛緣何許？談罷令人欲斷腸。

串講

故事寫一個外出經商失敗的商人程宰兄弟，因為沒有掙到錢無臉回家，只能寄居在遼陽打工為生。這一年冬天，天寒地凍，程宰縮在床上瑟瑟發抖，突然間屋內白光亮起，溫暖如春，接着耳中傳來鼓樂聲和車馬的喧囂，他從被角偷眼看去，屋內多了三個美貌女人，披珠掛彩，高貴非凡，後邊還有無數的侍女。其中一個美女將程宰拉起來，言明自己與他有緣，因此特來相會，接着擺起酒宴，歡歌笑語與程宰吃酒。夜深後，其他人離開，那美女變換出舒適的床被，與他同床共枕。這飛來的豔福使他驚喜萬分，一再追問下，才知道這美女是海神。從此程宰白天工作，晚上則過着神仙般的日子。一天，程宰說起自己的遭遇，希望海神能夠使他發財。於是海神指點他陸續購入別人不要的藥材，結果不久遼東發生瘟疫，程宰的藥材高價出售，賺了一筆。過了幾天，一個販彩緞的一批貨染上霉點，海神指點程宰再次低價購入，別人都笑他傻，但是不久軍隊急需彩緞，程宰再次高價賣出，又賺了一筆。到了秋天，他又在海神的指點下，買了六千匹布，結果遇上國喪，人人都要穿白衣，結果布匹脫銷，程宰的布又賣了個好價錢。如此這般，幾年後，程宰已經十分富有了。七年之後，程宰興起了想回家的打算，美女與他撒淚而別，並告訴他將有三次大難，到時她會救他。於是程宰上路回家，到了大同，剛住幾日，夢見海神催促他快走，於是他連夜出城。剛走，城內發生兵變，所有城內的人都被抓起來，海神救了程宰第一次大難。程宰逃到居庸關關外住下，又夢見海神催促他快走，他連忙入關，剛過關，上面下令將大同來的客商全作為奸細逮捕，海神又救了他第二次。回家到高郵湖，突然遇上狂風，所坐船隻失控，多虧海神出現將他救下，這是救他第三次。從此後，程宰太太平平度過了一生，海神也再沒有出現過。

評析

這篇小說一向作為二拍的代表作品推介的。理由無外乎三：首先是對商人的正面歌頌，反映了明代社會重視商業的進步思想和市民階級登上主流社會的現實。開篇寫故事的主人公程宰所在徽州，"以商賈為第一等生業，科第反在次着"，渲染了商業興盛的社會現實。然後寫小商人被海神眷顧，與神仙一起生活，享盡了榮華富貴。特別是他在海神的指點下，連續三次囤積居奇，結果都賺了大錢。不僅為我們描繪了商業貿易的繁榮場面，而且寫出了當時人們渴望發財的社會心理，從常理上講，囤積居奇是不道德的，但是，在市民眼中，已經沒有那麼多倫理的界定，"只看你所得歸來的利息多少為重輕，得利多的，盡皆愛敬趨奉。得利少的，盡皆輕薄鄙笑。猶如讀書求名的中與不中歸來的光景一般。"其次是情節求奇，在程宰窮困潦倒的時候，海神出現，竟然是來與他相會，成為他的情人，這已經很奇了，他的命運也由此發生第一層變化；接着在海神的指點下，他連續三次囤積居奇，發了大財，他的命運發生了第二層變化；最後的回家歸途最為驚心動魄，多虧海神提醒，他才逃過了三次劫難。程宰的奇遇在於他是海神的戀人，無形中賦予了他一定的神性，使他始終能夠逢凶化吉、未卜先知，造就了一次次的傳奇。同時，這種求奇因為立足於生活的真實，與現實發生的如戰亂等事情緊密相扣，又讓人覺得十分可信。本篇故事的第三點成功是寫出了海神虛幻飄渺又充滿人性的形象和神仙世界的絢爛，令人神往。如寫海神等美女的容貌、衣着，車馬喧嘩等，極盡鋪張之能事。寫她與程宰的感情，則歡會時憐愛，分手時纏綿，戀戀不捨。特別是出場時造成的室外天寒地凍，室內溫暖如春，香氣繚繞，群女紛紛從空中飄落，充滿了奇幻的藝術效果，也使本篇充滿了浪漫的色彩。

神偷寄興一枝梅　俠盜慣行三昧戲

詩曰：

> 劇賊從來有賊智，其間妙巧亦無窮。
> 若能收作公家用，何必疆場不立功？

自古說孟嘗君①養食客三千，雞鳴狗盜的多收拾在門下。後來被秦王拘留，無計得脫。秦王有個愛姬傳語道："聞得孟嘗君有領狐白裘，價值千金。若將來送了我，我替他討個人情，放他歸去。"孟嘗君當時只有一領狐白裘，已送上秦王收藏內庫，那得再有？其時狗盜的便獻計道："臣善狗偷，往內庫去偷將出來便是。"你道何為狗偷？乃是此人善做狗嗥。就假做了狗，爬牆越壁，快捷如飛，果然把狐白裘偷了出來，送與秦宮愛姬，才得善言放脫。連夜行到函谷關。孟嘗君恐怕秦王有悔，後面追來，急要出關。當得關上直等雞鳴才開。孟嘗君着了急，那時食客道："臣善雞鳴，此時正用得着。"就曳起聲音，學作雞啼起來，果然與真無二。啼得兩三聲，四下群雞皆啼，關吏聽得，把關開了，孟嘗君才得脫去。孟嘗君平時養了許多客，今脫秦難，卻得此兩小人之力，可見天下寸長尺技，俱有用處。而今世上只重着科目，非此出身，縱有奢遮的，一概不用。所以有奇巧智謀之人，沒處設施，多趕去做了為非作歹的勾當。若是善用人材

---

1 孟嘗君：戰國時代齊人，姓田名文，號孟嘗君，手下養着能人數千人。

的，收拾將來，隨宜酌用，未必不得他氣力，且省得他流在盜賊裏頭去了。

　　且如宋朝臨安有個劇盜，叫做"我來也"，不知姓甚名誰，但是他到人家偷盜了物事，一些蹤影不露出來，只是臨行時壁上寫着"我來也"三個大字。第二日人家看見了字，方才檢點家中，曉得失了賊。若無此字，竟是神不知鬼不覺的，煞好手段！臨安中受他蒿惱不過，紛紛告狀。府尹責着緝捕使臣，嚴行挨查，要獲着真正寫"我來也"三字的賊人。卻是沒個姓名，知是張三李四？拿着那個才肯認帳？使臣人等受那比較不過，只得用心體訪。元來隨你巧賊，須瞞不過公人，占風望氣，定然知道的。只因拿得甚緊，畢竟不知怎的緝着了他的真身，解到臨安府裏來。府尹升堂，使臣稟說緝着了真正"我來也"，雖不曉得姓名，卻正是寫這三字的。府尹道："何以見得？"使臣道："小人們體訪甚真，一些不差。"那個人道："小人是良民，並不是甚麼我來也。公人們比較不過，拿小人來冒充的。"使臣道："的是真正的賊口，聽他不得！"府尹只是疑心。使臣們稟道："小人們費了多少心機，才訪得着。若被他花言巧語脫了出去，後來小人們再沒處拿了。"府尹欲待要放，見使臣們如此說，又怕是真的，萬一放去了，難以尋他，再不好比較緝捕的了，只得權發下監中收監。

　　那人一到監中，便好言對獄卒道："進監的舊例，該有使費，我身邊之物，盡被做公的搜去。我有一主銀兩，在岳廟裏神座破磚之下，送與哥哥做拜見錢。哥哥只做去燒香取了來。"獄卒似信不信，免不得跑去一看，果然得了一包東西，約有二十餘兩。獄卒大喜，遂把那人好好看待，漸加親密。一日，那人又對獄卒道：“小人承蒙哥哥盛情，十分看待得好。小人無可報效，還有一主東西在某外橋垛之下，哥哥去取了，也見小人一點敬意。”獄卒道：“這個所在，是往來之所，人眼極多，如何取得？”那人道：“哥哥將個筐籃盛着衣服，到那河裏去洗，摸來放在籃中，就把衣服蓋好，卻不拿將來了？”獄卒依言，如法取了來，沒人知覺。簡簡物事，約有百金之外。獄卒一發喜謝不盡，愛厚那人，如同骨肉。晚間買酒請他。酒中那人對獄卒道：“今夜三更，我要到家裏去看一看，五更即來，哥哥可放我出去一遭。”獄卒思量道：“我受了他許多東西，他要出去，做難不得。萬一不來了怎麼處？”那人見獄卒遲疑，便道：“哥哥不必疑心，小人被做公的冒認做我來也送在此間，既無真名，又無實跡，須問不得小人的罪。小人少不得辯出去，一世也不私逃的。但請哥哥放心，只消兩個更次，小人仍舊在此了。”獄卒見他說得有理，想道：“一個不曾問罪的犯人，就是失了，沒甚大事。他現與了我許多銀兩，拼得與他使用些，好歹糊塗得過，況他未必不來的。”就依允放了他。那人不由獄門，竟在屋簷上跳了去。屋瓦無聲，早已不見。

到得天未大明，獄卒宿酒未醒，尚在朦朧，那人已從屋簷跳下。搖起獄卒道：“來了，來了。”獄卒驚醒，看了一看道：“有這等信人[1]！”那人道：“小人怎敢不來，有累哥哥？多謝哥哥放了我去，已有小小謝意，留在哥哥家裏，哥哥快去收拾了來。小人就要別了哥哥，當官出監去了。”獄卒不解其意，急回到家中。家中妻子說：“有件事，正要你回來得知。昨夜更鼓盡時，

---

1 信人：守信用的人。

不知樑上甚麼響，忽地掉下一個包來。解開看時，盡是金銀器物，敢是天賜我們的？”獄卒情知是那人的緣故，急搖手道：“不要露聲！快收拾好了，慢慢受用。”獄卒急轉到監中，又謝了那人。須臾府尹升堂，放告牌出。只見紛紛來告盜情事，共有六七紙。多是昨夜失了盜，牆壁上俱寫得有“我來也”三字，懇求着落緝捕。府尹道：

“我元疑心前日監的，未必是真我來也，果然另有這個人在那裏，那監的豈不冤枉？”即叫獄卒分付快把前日監的那人放了。另行責着緝捕使臣，定要訪個真正我來也解官，立限比較。豈知真的卻在眼前放去了？只有獄卒心裏明白，伏他神機妙用，受過重賄，再也不敢說破。

看官，你道如此賊人智巧，可不是有用得着他的去處麼？這是舊話，不必說。只是我朝嘉靖年間，蘇州有個神偷懶龍，事跡頗多。雖是個賊，煞是有義氣，兼帶着戲耍，說來有許多好笑好聽處。有詩為證：

誰道偷無道？神偷事每奇。
更看多慷慨，不是俗偷兒。

話說蘇州亞字城東玄妙觀前第一巷有一個人，不曉得他的姓名。後來他自號懶龍，人只稱呼他是懶龍。其母村居，偶然走路遇着天雨，走到一所枯廟中避着，卻是草鞋三郎廟。其母坐久，雨尚不住，昏昏睡去。夢見神道與他交感，歸來有妊。滿了十月，生下這個懶龍來。懶龍生得身材小巧，膽氣壯猛，心機靈變，度量慨慷。且說他的身體行徑：

柔若無骨，輕若御風。大則登屋跳樑，小則捫牆摸壁。隨機應變，看景生情。撮口則為雞犬狸鼠之聲；拍手則作簫鼓弦索之弄。飲啄有方，律呂相應。無弗酷肖，可使亂真。出沒如鬼神，去來如風雨。果然天下無雙手，真是人間第一偷。

懶龍不但伎倆巧妙，又有幾件希奇本事，詫異性格。自小就會着了靴在壁上走，又會說十三省鄉談①，夜間可以連宵不睡，日間可以連睡幾日，不茶不飯，像陳摶②一般。有時放置一吃，酒數斗飯數升，不殼一飽。有時不吃起來，便動幾日不餓。鞋底中用稻草灰做襯，走步絕無聲響。與人相撲，掉臂往來，倏忽如風。想來《劍俠傳》中白猿公，《水滸傳》中鼓上蚤③，其矯捷不過如此。

自古道性之所近，懶龍既有這一番車遮④，便自藏埋不住，好與少年無賴的人往來，習成偷兒行徑。一時偷兒中高手有：蘆茄茄（骨瘦如青蘆枝，探丸白打最勝）；刺毛鷹（見人輒隱伏，形如蠆蠚，能宿樑壁上）；白搭膊（以素練為腰纏，角上掛大鐵鉤，以鉤向上拋擲，遇樑掛便攀緣腰纏上升；欲下亦借鉤力，梯其腰纏，翩然而落）。這數個，多是吳中高手，見了懶龍手段，盡皆心伏，自以為不及。懶龍原沒甚家緣家計，今一發棄了，到處為家，人都不曉得他歇在那一個所在。白日行都市中，或閃入

---

1 十三省鄉談：明代設置十三個省，鄉談就是方言，這裏意即會說全國各地的方言。

2 陳摶：宋代的得道高人，隱居華山，據說能連睡百天。

3 鼓上蚤：指《水滸》中的梁山好漢時遷。

4 車遮：意思是勵害，有本事。

人家，但見其影，不見其形。暗夜便竊入大戶朱門尋宿處：玳瑁樑間，鴛鴦樓下，繡屏之內，畫閣之中，縮做刺蝟一團，沒一處不是他睡場。得便就做他一手。因是終日會睡，變幻不測如龍，所以人叫他懶龍。所到之處，但得了手，就畫一枝梅花在壁上，在黑處將粉寫白字，在粉牆將煤寫黑字，再不空過，所以人又叫他做一枝梅。

　　嘉靖初年，洞庭兩山出蛟，太湖邊山崖崩塌，露出一古塚朱漆棺，寶物無數，盡被人盜去無遺。有人傳說到城，懶龍偶同親友泛湖，因到其處。看見藤蔓纏棺，已被斬斷。開發棺中，惟枯骸一具，冢旁有斷碑模糊。懶龍道是古來王公之墓，不覺惻然，就與他掩蔽了。即時出些銀兩，僱本處土人聚土埋藏好了，把酒澆奠。奠畢將行，懶龍見草中一物礙腳，俯首取起，乃是古銅鏡一面。急藏襪中，不與人見。及到城中，將往僻處，刷淨泥滓。細看那鏡，小小只有四五寸。面上精光閃爍，背上鼻鈕四傍，隱起窮奇饕餮[1]魚龍波浪之形。滿身青綠，盡蝕朱砂水銀之色。試敲一下，其聲泠然。曉得是件寶貝，將來佩帶身邊。到得晚間，將來一照，暗處皆明，雪白如晝。懶龍得了此鏡，出入不離，夜行更不用火，一發添了一助。別人怕黑時節，他竟同日裏行走，偷法愈便。卻是懶龍雖是偷兒行徑，卻有幾件好處：不肯淫人家婦女，不入良善與患難之家，說了話，再不失信。亦且仗義疏財，偷來東西隨手散與貧窮負極之人。最要瘝惱那慳吝財主、無義富人，逢場作戲，做出笑話。因此到所在，人多倚草附木，成行逐隊來皈依他，義聲赫然。懶龍笑道：“吾無父母妻子可養，

---

1 饕餮：古代傳說中的兇惡猛獸，貪吃。

借這些世間餘財聊救貧人。正所謂損有餘補不足，天道當然，非關吾的好義也。"

一日，有人傳說一個大商下千金在織人周甲家，懶龍要去取他的。酒後錯認了所在，誤入了一個人家。其家乃是個貧人，房內止有一張大几。四下一看，別無長物。既已進了房中，一時不好出去，只得伏在几下。看見貧家夫妻對食，盤餐蕭瑟。夫滿面愁容，對妻道："欠了客債要緊，別無頭腦可還，我不如死了罷！"妻子道："怎便尋死？不如把我賣了，還好將錢營生。"說罷，夫妻淚如雨下。懶龍忽然跳將出來，夫妻慌怕。懶龍道："你兩個不必怕我，我乃懶龍也。偶聽人言，來尋一個商客，錯走至此。今見你每生計可憐，我當送二百金與你，助你經營，快不可別尋道路，如此苦楚！"夫妻素聞其名，拜道："若得義士如此厚恩，吾夫妻死裏得生了！"懶龍出了門去，一個更次，門內鏗然一響。夫妻走起來看時，果然一個布囊，有銀二百兩在內，乃是懶龍是夜取得商人之物。夫妻喜躍非常，寫個懶龍牌位，奉事終身。

有一貧兒，少時與懶龍遊狎，後來消乏。與懶龍途中相遇，身上襤褸，自覺羞慚，引扇掩面而過。懶龍摯住其衣，問道："你不是某舍麼？"貧兒跼蹐道："惶恐，惶恐。"懶龍道："你一貧至此，明日當同你入一大家，取些來付你，勿得妄言！"貧兒曉得懶龍手段，又是不哄人的。明日傍晚來尋懶龍。懶龍與他共至一所，乃是士夫家池館。但見：暮鴉撩亂，碧樹蒙籠。萬籟淒清，四隅寂靜。懶龍分付貧兒止住在外，自己竦身攀樹逾垣而入，許久不出。貧兒屏氣吞聲，蹲踞牆外。又被群犬嘷吠，趕來咋嚙，貧兒繞牆走避。微聽得牆內水響，煞有一物如沒水鸛鷀，從林影中墮地。仔細看看，卻是懶龍，渾身沾濕，狀甚狼狽。對貧兒道：「吾為你幾乎送了性命。裏面黃金無數，可以斗量。我已取到了手，因為外邊犬吠得緊，驚醒裏面的人，追將出來。只得丟棄道旁，輕身走脫，此乃子之命也。」貧兒道：「老龍平日手到拿來，今日如此，是我命薄！」歎息不勝。懶龍道：「不必煩惱！改日別作道理。」貧兒怏怏而去。

過了一個多月，懶龍路上又遇着他，哀告道：「我窮得不耐煩了，今日去卜問一卦，遇着上上大吉，財爻發動。先生說當有一場飛來富貴，是別人作成的。我想不是老龍，還那裏指望？」懶龍笑道：「吾幾乎忘了。前日那家金銀一箱，已到手了。若竟把來與你，恐那家發覺，你藏不過，做出事來。所以權放在那家水池內，再看動靜，今已個月期程，不見聲息，想那家不思量追訪了。可以取之無礙，晚間當再去走遭。」貧兒等到薄暮，來約懶龍同往。懶龍一到彼處，但見：度柳穿花，捷若飛鳥。馳波濺沫，矯似游龍。須臾之間，背負一箱而出。急到僻處開看，將着身帶寶鏡一照，裏頭盡是金銀。懶龍分文不取，也不問多少，盡數與了貧兒。分付道：「這些財物，可勾你一世了，好好將去用度。不要學我懶龍混帳半生，不做人家。」貧兒感激謝教，將着做本錢，後來竟成富家。懶龍所行之事，每多如此。

說話的，懶龍固然手段高強，難道只這等遊行無礙，再沒有失手時節？看官聽說，他也有遇着不巧，受了窘迫，卻會得逢急智生，脫身溜撒。曾有一日走到人家，見衣櫥開着，急向裏頭藏身，要取櫥中衣服。不匡這家子臨上床時，將衣櫥關好，上了大鎖，竟把懶龍鎖在櫥內了。懶龍出來不得，心生一計，把櫥內衣飾緊纏在身，又另包下一大包，俱挨着櫥門。口裏就做鼠咬衣裳之聲。主人聽得，叫起老嫗來道：「為何把老鼠關在櫥內了？可不咬壞了衣服？快開了櫥趕了出來！」老嫗取火①開櫥，才開得門，那挨着門一包兒，先滾了下地。說時遲，那時快，懶龍就這包滾下來，頭裏一同滾將出來，就勢撲滅了老嫗手中之火。老嫗吃驚大叫一聲。懶龍恐怕人起難脫，急取了那個包，隨將老嫗要處一撥，撲的跌倒在地，望外便走。房中有人走起，地上踏着老嫗，只說是賊，拳腳亂下。老嫗喊叫連天，房外人聽得房裏嚷亂，盡奔將來，點起火一照，見是自家人廝打，方喊得住，懶龍不知已去過幾時了。

有一織紡人家，客人將銀子定下綢羅若干。其家夫妻收銀箱內，放在床裏邊。夫妻同寢在床，夜夜小心謹守。懶龍知道，要取他的，閃進房去，一腳踏了床沿，挽手進床內掇那箱子。婦人驚醒，覺得床沿上有物，暗中一摸，曉得是隻人腳。急用手抱住不放，忙叫丈夫道：「快起來，吾捉住賊腳在這裏了！」懶龍即將其夫之腳，用手抱住一招。其夫負痛忙喊道：「是我的腳，是我的腳。」婦人認是錯拿了夫腳，即時把手放開。懶龍便掇了箱子如飛出房。夫妻兩人還爭個不清，妻道：「分明拿的是賊腳，你卻教放了。」夫道：「現今我腳掐得生疼，那裏是賊腳？」妻道：「你腳在裏床，我拿的在外床，況且吾不曾掐着。」夫道：「這等，是賊掐我的腳，你只不要放那隻腳便是。」妻道：「我聽你喊將起來，慌忙之中認是錯了，不覺把手放鬆，他便抽得去了，着了他賊見識，定是不好了。」摸摸裏床，箱子果是不見。夫妻兩個我道你錯，你道我差，互相埋怨不了。

---

1 取火：古代用火石打火做火種，取火就是去拿點蠟燭的火種。

懶龍又走在一個買衣服的舖裏，尋着他衣庫。正要揀好的捲他，黑暗難認，卻把身邊寶鏡來照。又道是隔牆須有耳，門外豈無人？誰想隔鄰人家，有人在樓上做房。樓窗看見間壁衣庫亮光一閃，如閃電一般，情知有些尷尬，忙敲樓窗向舖裏叫道："隔壁仔細，家中敢有小人了？"舖中人驚起，口喊"捉賊！"懶龍聽得在先，看見庭中有一隻大醬缸，上蓋篷罩，懶龍慌忙揭起，蹲在缸中，仍復反手蓋好。那家人提着燈各處一照，不見影響，尋到後邊去了。懶龍在缸裏想道："方才只有缸內不曾開看，今後頭尋不見，此番必來。我不如往看過的所在躲去。"又思身上衣已染醬，淋漓開來，掩不得蹤跡。便把衣服卸在缸內，赤身脫出來。把腳蹤印些醬跡在地下，一路到門，把門開了，自己翻身進來，仍入衣庫中藏着。那家人後頭尋了一轉，又將火到前邊來。果然把醬缸蓋揭開看時，卻有一套衣服在內，認得不是家裏的。多道這分明是賊的衣裳了。又見地下腳跡，自缸邊直到門邊，門已洞開。盡皆道："賊見我們尋，慌躲在醬缸裏面。我們後邊去尋時，他卻脫下衣服逃走了。可惜看得遲了些個，不然此時已被我們拿住。"店主人家道："趕得他去也罷了，關好了門歇息罷。"一家盡道賊去無事，又歷碌了一會，放倒了頭，大家酣睡。詎知賊還在家裏。懶龍安然住在錦繡叢中，把上好衣服繞身繫束得緊峭，把一領青舊衣外面蓋着。又把細軟好物，裝在一條布被裏面打做個包兒。弄了大半夜，寂寂負了從屋簷上跳出，這家子沒一人知覺。

跳到街上正走時，天尚黎明，有三四一起早行的人，前來撞着。見懶龍獨自一個負着重囊，侵早行走。疑他來路不正氣，遮住道："你是甚麼人？在那裏來？說個明白，方放你走。"懶龍口不答應，伸手在肘後摸出一包，團團如球，拋在地下就走。那幾個人多來搶看，見上面牢捲密紮，道他必是好物，爭先來解。解了一層又有一層，就像剝筍殼一般。且是層層捆得緊，剝了一尺多，裏頭還不盡。剩有拳頭大一塊，疑道：“不知裏着甚麼？”眾人不肯住手，還要奪來解看。那先前解下的多是敝衣破絮，零零落落，堆得滿地。正在鬧嚷之際，只見一夥人趕來道：“你們偷了我家舖裏衣服，在此分贓麼？”不由分說，拿起器械蠻打將來。眾人呼喝不住，見不是頭，各跑散了。中間拿住一個老頭兒，天色黯黑之中，也不來認面龐，一步一棍，直打到舖裏。老頭兒口裏亂叫亂喊道：“不要打，不要打，你們錯了。”眾人多是興頭上，人住馬不住，那裏聽他？

看看天色大明，店主人仔細一看，乃是自家親家翁，在鄉里住的。連忙喝住眾人，已此打得頭虛面腫。店主人忙陪不是，置酒請罪。因說失賊之事，老頭兒方訴出來道：“適才同兩三個鄉里人作伴到此，天未明亮，因見一人背馱一大囊行走，正攔住盤問，不匡他丟下一件包裹，多來奪看，他乘鬧走了。誰想一層一層多是破衣敗絮，我們被他哄了，不拿得他。卻被這裏人不分皂白，混打這番，把同伴人驚散。便宜那賊骨頭，又不知走了多少路了。”眾人聽見這話，大家驚悔。鄰里聞知某家捉賊，錯打了親家公，傳為笑話。元來那個球，就是懶龍在衣櫥裏把閒工結成，帶在身邊，防人尾追，把此拋下做緩兵之計。這多是他臨危急智脫身巧妙之處，有詩為證：

> 巧技承蜩與弄丸，當前賣弄許多般。
> 雖然賊態何堪述，也要臨時狡智難。

懶龍神偷之名，四處佈聞。衛中巡捕張指揮訪知，叫巡軍拿去。指揮見了問道：“你是個賊的頭兒麼？”懶龍道：“小人不曾做賊，怎說是賊的頭兒？小人不曾有一毫贓私犯在公庭，亦不曾見有竊盜賊夥扳及小人，小人只為有些小智巧，與親戚朋友作耍之事，間或有之。爺爺不要見罪小人，或者有時用得小人着，水裏火裏，小人不辭。”指揮見他身材小巧，語言爽快，想道無贓無證，難以罪他。又見說肯出力，思量這樣人有用處，便沒有難為的意思。正說話間，有個闇門陸小閒將一隻紅嘴綠鸚哥來獻與指揮。指揮教把鎖鐕掛在簷下，笑對懶龍道：“聞你手段通神，你雖說戲耍無贓，偷人的必也不少。今且權恕你罪，我只要看你手段。你今晚若能偷得我這鸚哥去，明日送來還我，凡事不計較你了。”懶龍道：“這個不難，容小人出去，明早送來。”懶龍叩頭而出。指揮當下分付兩個守夜軍人，小心看守架上鸚哥，倘有疏失，重加責治。兩個軍人聽命，守宿在簷下，一步不敢走離。雖是眼皮壓將下來，只得勉強支持。一陣盹睡，聞聲驚醒，甚是苦楚。

夜已五鼓，懶龍走在指揮書房屋脊上，挖開椽子，溜將下來。只見衣架上有一件沉香色潞綢披風，几上有一頂華陽巾，壁上掛一盞小行燈，上寫着“蘇州衛堂”四字。懶龍心思有計，登時把衣巾來穿戴了，袖中拿出火種，吹起燭煤，點了行燈，提在手裏，裝着老張指揮聲音步履，儀容氣度，無一不像。走到中堂壁門邊，把門猛然開了。遠遠放住行燈，踱出廊簷下來。此時月色朦朧，天色昏慘，兩個軍人大盹小盹，方在困倦之際。懶龍輕輕踢他一下道：“天色漸明，不必守了，出去罷。”一頭說，一頭伸手去提了鸚哥鎖鐺，望中門裏面搖擺了進去。兩個軍人閉眉刷眼，正不耐煩，聽得發放，猶如九重天上的赦書來了，那裏還管甚麼好歹？一道煙去了。

須臾天明，張指揮走將出來，鸚哥不見在簷下，急喚軍人問，他兩個多不在了。忙叫拿來，軍人還是殘夢未醒。指揮喝道："叫你們看守鸚哥，鸚哥在那裏？你們倒在外邊來！"軍人道："五更時，恩主親自出來取了鸚哥進去，發放小人們歸去的，怎麼反問小人要鸚哥？"指揮道："胡說！我何曾出來？你們見鬼了。"軍人道："分明是恩主親自出來，我們兩個人同在那裏，難道一齊眼花了不成？"指揮情知尷尬，走到書房，仰見屋椽有孔道，想必在這裏着手去了。正持疑間，外報懶龍將鸚哥送到。指揮含笑出來，問他何由偷得出去，懶龍把昨夜着衣戴巾、假裝主人取進鸚哥之事，說了一遍。指揮驚喜，大加親幸。懶龍也時常有些小孝順，指揮一發心腹相託，懶龍一發安然無事了。普天下巡捕官偏會養賊，從來如此。有詩為證：

貓鼠何當一處眠？總因有味要垂涎。
由來捕盜皆為盜，賊黨安能不熾然？

雖如此說，懶龍果然與人作戲的事體多。曾有一個博徒在賭場得了采，揹負千錢回家，路上撞見懶龍。博徒指着錢戲懶龍道："我今夜把此錢放在枕頭底下，你若取得去，明日我輸東道。若取不去，你請我吃東道。"懶龍笑道："使得，使得。"博徒歸家中對妻子說："今日得了采，把錢藏在枕下了。"妻子心裏歡喜，殺一隻雞燙酒共吃。雞吃不完，還剩下一半，收拾在廚中，上床同睡。又說了與懶龍打賭賽之事。夫妻相戒，大家醒覺些個。豈知懶龍此時已在窗下，一一聽得。見他夫婦惺聰[1]，難以下手，心生一計。便走去灶下，拾根麻骨放在口中，嚼得畢剝有聲，竟似貓兒吃雞之狀。婦人驚起道：“還有老大半隻雞，明日好吃一餐，不要被這亡人抱了去。”連忙走下床來，去開廚來看。懶龍閃入天井中，將一塊石拋下井裏“洞”的一聲響。博徒聽得驚道：“不要為這點小小口腹，失腳落在井中了，不是耍處。”急出門來看時，懶龍已隱身入房，在枕下挖錢去了。夫婦兩人黑暗裏叫喚相應，方知無事，挽手歸房。到得床裏，只見枕頭移開，摸那錢時，早已不見。夫妻互相怨悵道：“清清白白，兩個人又不曾睡着，卻被他當面作弄了去，也倒好笑。”到得天明，懶龍將錢來還了，來索東道。博徒大笑，就勒下幾百放在袖裏，與懶龍前到酒店中，買酒請他。兩個飲酒中間，細說昨日光景，拍掌大笑。

　　酒家翁聽見，來問其故，與他說了。酒家翁道：“一向聞知手段高強，果然如此。”指着桌上錫酒壺道：“今夜若能取得此壺去，我明日也輸一個東道。”懶龍笑道：“這也不難。”酒家翁道：“我不許你毀門壞戶，只在此桌上，憑你如何取去。”懶龍道：“使得，使得。”起身相別而去。酒家翁到晚分付牢關門戶，自家把燈四處照了，料道進來不得。想道：“我停燈在桌上了，拼得坐着守定這壺，看他那裏下手？”酒家翁果然坐到夜分，絕無影響。意思有些不耐煩了，倦急起來，瞌睡到了。起初還着實勉強，支撐不過，就斜靠在桌上睡去，不覺大鼾。懶龍早

---

1 惺聰：意思是小心防範。

已在門外聽得，就悄悄的扒上屋脊，揭開屋瓦，將一豬脬緊紮在細竹管上。竹管是打通中節的，徐徐放下，插入酒壺口中。酒店裏的壺，多是肚寬頸窄的。懶龍在上邊把一口氣從竹管裏吹出去，那豬脬在壺內漲將開來，已滿壺中。懶龍就掐住竹管上眼，便把酒壺提將起來。仍舊蓋好屋瓦，不動分毫。酒家翁一覺醒來，桌上燈還未滅，酒壺已失。急起四下看時，窗戶安然，毫無漏處，竟不知甚麼神通攝得去了。

又一日，與二三少年同立在北潼子門酒家。河下船中有個福建公子，令從人將衣被在船頭上曬曝，錦繡燦爛，觀者無不嘖嘖。內中有一條被，乃是西洋異錦，更為奇特。眾人見他如此炫耀，戲道："我們用甚法取了他的，以博一笑才好？"盡推懶龍道："此時懶龍不逞技倆，更待何時？"懶龍笑道："今夜讓我弄了他來，明日大家送還他，要他賞錢，同諸公取醉。"懶龍說罷，先到混堂把身子洗得潔淨，再來到船邊看相動靜。守到更點二聲，公子與眾客盡帶酣意，潦倒模糊。打一個混同鋪，吹滅了燈，一齊藉地而寢。懶龍倏忽閃爍，已雜入眾客鋪內，挨入被中。說着閩中鄉談，故意在被中挨來擠去。眾客睡不像意，口裏和囉埋怨。懶龍也作閩音說睡話，趁着挨擠雜鬧中，扯了那條異錦被，捲作一束。就作睡起要瀉溺的聲音，公然拽開艙門，走出瀉溺，徑跳上岸去了，船中諸人一些不覺。及到天明，船中不見錦被，滿艙鬧嚷。公子甚是嘆惜，與眾客商量，要告官又不直得，要住了又不捨得。只得許下賞錢一千，招人追尋蹤跡。懶龍同了昨日一干人下船中，對公子道："船上所失錦被，我們已見在一個所在，公子發出賞錢，與我們弟兄買酒吃，包管尋來奉還。"公子立教取出千錢來放着，待被到手即發。懶龍道："可叫管家隨我們去取。"公子分付親隨家人同了一夥人走到徽州當內，認得錦被，正是元物。親隨便問道："這是我船上東西，為何在此？"當內道："早間一人拿此被來當。我們看見此錦，不是這裏出的，有些疑心，不肯當錢與他。那個人道：'你每若放不下時，我去尋個熟人來，保着秤銀子去就是。'我們說這個使得。那人一去竟不來了。我元道必是來歷不明的，既是尊舟之物，拿去便了。等那個人來取時，小當還要捉住了他，送到船上來。"眾人將了錦被去還了公子，就說當中說話。公子道："我們客邊的人，但得元物不失罷了，還要尋那賊人怎的？"就將出千錢，送與懶龍等一夥報事的人。眾人收受，俱到酒店裏破除了。元來當裏去的人，也是懶龍央出來，把錦被卸脫在那裏，好來請賞的。如此作戲之事，不一而足。正是：

　　　爐傳①能發塚，穿窬②何足薄？
　　　若託大儒言，是名善戲謔。

懶龍固然好戲，若是他心中不快意的，就連真帶耍，必要擾他。有一夥小偷置酒邀懶龍遊虎丘。船經山塘，暫停米店門口河下，穿出店中買柴沽酒。米店中人嫌他停泊在此出入攪擾，厲聲推逐，不許繫纜。眾偷不平爭嚷。懶龍丟個眼色道："此間不容借走，我們移船下去些，別尋好上岸處罷了，何必動氣？"遂教把船放開，眾人還忿忿。懶龍道："不須角口，今夜我自有處置

---

1 爐傳：傳語。
2 穿窬：鑽牆等盜竊行徑。

他所在。"眾人請問，懶龍道："你們去尋一隻站船來，今夜留一樽酒、一個櫨及暖酒家火薪炭之類，多安放船中。我要歸途一路賞月色到天明。你們明日便知，眼下不要說破。"是夜虎丘席罷，眾人散去。懶龍約他明日早會，止留一個善飲的為伴，一個會行船的持篙，下在站船中回來。經過米店河頭，店中已局閉得嚴密。其時河中賞月歸舟歡唱過往的甚多。米店裏頭人安心熟睡。懶龍把船貼米店板門住下。日間看在眼裏，有米囤在店角落中，正臨水次近板之處。懶龍抽出小刀，看板上有節處一挖，那塊木節团圇的落了出來，板上老大一孔。懶龍腰間摸出竹管一個，兩頭削如藕披①，將一頭在板孔中插入米囤，略擺一擺，只見囤內米簌簌的從管裏瀉將下來，就如注水一般。懶龍一邊對月舉杯，酣呼跳笑，與瀉米之聲相雜，來往船上多不知覺。那家子在裏面睡的，一發夢想不到了。看看斗轉參橫，管中沒得瀉下，想來囤中已空，看那船艙也滿了。便叫解開船纜，慢慢的放了船去，到一僻處，眾偷皆來。懶龍說與緣故，盡皆撫掌大笑。懶龍拱手道："聊奉列位眾分，以答昨夜盛情。"竟自一無所取。那米店直到開囤，才知其中已空，再不曉得是幾時失去，怎麼樣失了的。

　　蘇州新興百柱帽，少年浮浪的無不戴着裝幌。南園側東道堂白雲房一起道士，多私下置一頂，以備出去遊耍，好裝俗家。一日夏月天氣，商量遊虎丘，已叫下酒船。有個紗王三，乃是王織紗第三個兒子，平日與眾道士相好，常合伴打平火。眾道士嫌他慣討便宜，且又使酒難堪，這番務要瞞着了他。不想紗王三已知

---

1 藕披：將竹管斜切，像切藕一樣，斜切部分叫做藕披。

道此事，恨那道士不來約他，卻尋懶龍商量，要怎生敗他遊興。懶龍應允，即閃到白雲房將眾道常戴板巾盡取了來。紗王三道："何不取了他新帽，要他板巾何用？"懶龍道："若他失去了新帽，明日不來遊山了，有何趣味？你不要管，看我明日消遣他。"紗王三終是不解其意，只得由他。明日，一夥道士輕衫短帽，裝束做少年子弟，登舟放浪。懶龍青衣相隨下船，蹲坐舵樓。眾道只道是船上人，船家又道是跟的侍者，各不相疑。開得船時，眾道解衣脫帽，縱酒歡呼。懶龍看個空處，將幾頂新帽捲在袖裏，腰頭摸出昨日所取幾頂板巾，放在其處。行到斟酌橋邊，攏船近岸，懶龍已望岸上跳將去了。一夥道士正要着衣帽登岸瀟灑，尋帽不見，但有常戴的紗羅板巾，壓摺整齊，安放做一堆在那裏。眾道大嚷道"怪哉！怪哉！我們的帽子多在那裏去了？"船家道："你們自收拾，怎麼問我？船不漏針，料沒失處。"眾道又各尋了一遍，不見蹤影，問船家道："方才你船上有個穿青的瘦小漢子，走上岸去，叫來問他一聲，敢是他見在那裏？"船家道："我船上那有這人？是跟隨你們下來的。"眾道嚷道："我們幾曾有人跟來？這是你串同了白日撞偷了我帽子去了。我們帽子幾兩一頂結的，決不與你干休！"扭住船家不放。船家不伏，大聲嚷亂。岸上聚起無數人來，蜂擁爭看。

人叢中走出一個少年子弟，撲的跳下船來道："為甚麼喧鬧？"眾道與船家各各告訴一番。眾道認得那人，道是決幫他的。不匡那人正色起來，反責眾道道：

"列位多是羽流，自然只戴板巾上船。今板巾多在，那裏再有甚麼百柱帽？分明是誣詐船家了。"看的人聽見，才曉得是一夥道士，板巾見在，反要詐船上賠帽子，發起喊來，就有那地方遊手好閒幾個攬事的光棍來出尖，伸拳攄手道：“果是賊道無理，我們打他一頓，拿來送官。”那人在船裏搖手指住道：“不要動手！不要動手！等他們去了罷。”那人忙跳上岸。眾道怕惹出是非來。叫快開了船。一來沒了帽子，二來被人看破，裝幌不得了，不好登山，快快而回。枉費了一番東道，落得掃興。你道跳下船來這人是誰？正是紗王三。懶龍把板巾換了帽子，知會了他，趁擾攘之際，特來證實道士本相，掃他這一場。道士回去，還纏住船家不歇。紗王三叫人將幾頂帽子送將來還他，上覆道：“已後做東道要灑浪那帽子時，千萬通知一聲。”眾道才曉得是紗王三耍他，又曾聞懶龍之名，曉得紗王三平日與他來往，多是懶龍的做作了。

其時鄰境無錫有個知縣，貪婪異常，穢聲狼藉。有人來對懶龍道：“無錫縣官衙中金寶山積，無非是不義之財。何不去取他些來，分惠貧人也好？”懶龍聽在肚裏，即往無錫地方，晚間潛入官舍中，觀看動靜。那衙裏果然富貴，但見：

連箱錦綺，累架珍奇。元寶不用紙包，疊成行列；器皿半非陶就，擺滿金銀。大象口中牙，蠢婢將來揭火；犀牛頭上角，小兒拿去盛湯。不知夏楚追呼，折了人家幾多骨肉；更兼苞苴①混濫，捲了地方到處皮毛。費盡心要傳家裏子孫，腆着面且認民之父母。

---

1 苞苴：指饋贈的禮物。

懶龍看不盡許多奢華，想道："重門深鎖，外邊梆鈴之聲不絕，難以多取。"看見一個小匣，十分沉重，料必是精金白銀，溜在身邊。心裏想道："官府衙中之物，省得明日胡猜亂猜，屈了無干的人。"摸出筆來，在他箱架邊牆上，畫着一枝梅花，然後輕輕的從屋檐下望衙後出去了。

過了兩三日，知縣簡點宦囊。不見一個專放金子的小匣兒，約有二百餘兩金子在內，價值一千多兩銀子。各處尋看，只見旁邊畫着一枝梅，墨跡尚新。知縣吃驚道："這分明不是我衙裏人了，臥房中誰人來得，卻又從容畫梅為記？此不是個尋常之盜。必要查他出來。"遂喚取一班眼明手快的應捕，進衙來看賊跡。眾應捕見了壁上之畫，吃驚道："覆官人，這賊小的們曉得了，卻是拿不得的。此乃蘇州城中神偷，名曰懶龍。身到之處，必寫一枝梅在失主家為認號。其人非比等閒手段，出有入無，更兼義氣過人，死黨極多。尋他要緊，怕生出別事來。失去金銀還是小事，不如放捨罷了，不可輕易惹他。"知縣大怒道："你看這班奴才，既曉得了這人名字，豈有拿不得的？你們專慣與賊通同，故意把這等話黨庇他，多打一頓大板才好！今要你們拿賊，且寄下在那裏。十日之內，不拿來見我，多是一個死！”應捕不敢回答。知縣即喚書房寫下捕盜批文，差下捕頭兩人，又寫下關子，關會長、吳二縣，必要拿那懶龍到官。

應捕無奈，只得到蘇州來走一遭。正進閭門，看見懶龍立在門口，應捕把他肩甲拍一拍道：“老龍，你取了我家官人東西罷了，賣弄甚麼手段畫着梅花？今立限與我們，必要拿你到官，卻是如何？”懶龍不慌不忙道：“不勞二位費心，且到店中坐坐細講。”懶龍拉了兩個應捕一同到店裏來，佔副座頭吃酒。懶龍道：“我與兩位商量，你家縣主果然要得我緊，怎麼好累得兩位？只要從容一日，待我送個信與他，等他自然收了牌票，不敢問兩位要我，何如？”應捕道：“這個雖好，只是你取得他的忒多了。他說多是金子，怎麼肯住手？我們不同得你去，必要為你受虧了。”懶龍道：“就是要我去，我的金子也沒有了。”應捕道：“在那裏了？”懶龍道：“當下就與兩位分了。”應捕道：“老龍不要取笑！這樣話當官不是要處。”懶龍道：“我平時不曾說誑語，原不取笑。兩位到宅上去一看便見。”扯着兩個人耳朵說道：“只在家裏瓦溝中去尋就有。”應捕曉得他手段，忖道：“萬一當官這樣說起來，真個有贓在我家裏，豈不反受他累？”遂商量道：“我們不敢要老龍去了，而今老龍待怎麼分付？”懶龍道：“兩位請先到家，我當隨至。包管知縣官人不敢提起，決不相累就罷了。”腰間摸出一包金子，約有二兩重，送與兩人道：“權當盤費。”從來說公人見錢，如蒼蠅見血，兩個應捕看見赤豔豔的黃金，怎不動火？笑欣欣接受了，就想此金子未必不就是本縣之物，一發不敢要他同去了，兩下別過。

懶龍連夜起身，早到無錫，晚來已閃入縣令衙中。縣官有大、小孺人，這晚在大孺人房中宿歇。小孺人獨自在帳中，懶龍揭起帳來，伸手進去一摸，摸着頂上青絲髻，真如盤龍一般。懶龍將剪子輕輕剪下，再去尋着印箱，將來撬開，把一盤髮髻塞在箱內，仍與他關好了。又在壁上畫下一枝梅。別樣不動分毫，輕身脫走。次日，小孺人起來，忽然頭髮紛披，覺得異樣。將手一摸，頂髻俱無，大叫起來。合衙驚怪，多跑將來問緣故。小孺人哭道：“誰人使促掐，把我的頭髮剪去了？”忙報知縣來看。知縣見帳裏坐着一個頭陀，不知那裏作怪起？想若平日綠雲委地，好不可愛！今卻如此模樣，心裏又痛又驚道：“前番金子失去，尚在嚴捉未到，今番又有歹人進衙了。別件猶可，縣印要緊。”函取印箱來看，看見封皮完好，鎖鑰俱在。隨即開來看時，印章在上格不動，心裏略放寬些。又見有頭髮纏繞，掇起上格，底下一堆髮髻，散在箱裏。再簡點別件，不動分毫。又見壁上畫着一枝梅，連前湊做一對了。知縣嚇得目睜口呆，道：“元來又是前番這人，見我追得急了，他弄這神通出來報信與我。剪去頭髮，分明說可以割得頭去，放在印箱裏，分明說可以盜得印去。這賊直如此利害！前日應捕們勸我不要惹他，元來果是這等。若不住手，必遭大害。金子是小事，拼得再做幾個富戶不着，便好補填了，不要追究的是。”連忙掣簽去喚前日差往蘇州下關文的應捕來銷牌。兩個應捕自那日與懶龍別後，來到家中。依他說話，各自家裏屋瓦中尋，果然各有一包金子。上寫着日月封記，正是前日縣間失賊的日子。不知懶龍幾時送來藏下的。應捕老大心驚，噙着指頭道：“早是不拿他來見官，他一口招出搜了贓去，渾身口洗不清。只是而今怎生回得官人的話？"叫了夥計，正自商量躊躇，忽見縣裏差簽來到。只道是拿違限的，心裏慌張，誰知卻是來叫銷牌的！應捕問其緣故，來差把衙中之事一一說了，道："官人此時好不驚怕，還敢拿人？"應捕方知懶龍果不失信，已到這裏弄了神通了，委實好手段！

嘉靖末年，吳江一個知縣治行貪穢，心術狡狠。忽差心腹公人，齎了聘禮到蘇城求訪懶龍，要他到縣相見。懶龍應聘而來，見了知縣稟道："不知相公呼喚小人那廂使用？"知縣道："一向聞得你名，有一機密事要你做去。"懶龍道："小人是市井無賴，既蒙相公青目，要幹何事，小人水火不避。"知縣摒退左右，密與懶龍商量道："叵耐巡按御史到我縣中，只管來尋我的不是。我要你去察院衙裏偷了他印信出來，處置他不得做官了，方快我心！你成了事，我與你百金之賞。"懶龍道："管取手到拿來，不負臺旨。"果然去了半夜，把一顆察院印信弄將出來，雙手遞與知縣。知縣大喜道："果然妙手，雖紅線盜金盒，不過如此神通罷了。"急取百金賞了懶龍，分付他快些出境，不要留在地方。懶龍道："我謝相公厚賜，只是相公要此印怎麼？"知縣笑道："此印已在我手，料他奈何我不得了。"懶龍道："小人蒙相公厚德，有句忠言要說。"知縣道："怎麼？"懶龍道："小人躲在察院樑上半夜，偷看巡按爺燭下批詳文書，運筆如飛，處置極當。這人敏捷聰察，瞞他不過的。相公明日不如竟將印信送還，只說是夜巡所獲，賊已逃去。御史爺縱然不能無疑，卻是又感又怕，自然不敢與相公異同了。"縣令道："還了他的，卻不依舊讓他行事去？豈有此理！你自走你的路，不要管我！"懶龍不敢再言，潛蹤去了。

卻說明日察院在私衙中開印來用，只剩得空匣。叫內班人等遍處尋覓，不見蹤跡。察院心裏道：“再沒處去，那個知縣曉得我有些不像意他，此間是他地方，奸細必多，叫人來設法過了，我自有處。”分付眾人不得把這事洩漏出去，仍把印匣封鎖如常，推說有病，不開門坐堂。一應文移，權發巡捕官收貯。一連幾日，知縣曉得這是他心病發了，暗暗笑着，卻不得不去問安。察院見傳報知縣來到，即開小門請進。直請到內衙床前，歡然談笑。說着民風土俗、錢糧政務，無一不剖膽傾心，津津不已。一茶未了，又是一茶。知縣見察院如此肝膈相待[1]，反覺踧踖[2]，不曉是甚麼緣故。正絮話間，忽報廚房發火，內班門皂廚役紛紛趕進，只叫“燒將來了！爺爺快走！”察院變色，急走起來，手取封好的印匣親付與知縣道：“煩賢令與我護持了出去，收在縣庫，就撥人夫快來救火。”知縣慌忙失措，又不好推得，只得抱了空匣出來。此時地方水夫俱集，把火救滅，只燒得廚房兩間，公廨無事。察院分付把門關了。這個計較，乃是失印之後察院預先分付下的。知縣回去思量道：“他把這空匣交在我手，若仍舊如此送還，他開來不見印信，我這干係須推不去。”輾轉無計，只得潤開封皮，把前日所偷之印仍放匣中，封鎖如舊。明日升堂，抱匣送還。察院就留住知縣，當堂開驗印信，印了許多前日未發放的公文。就於是日發牌起馬，離卻吳江。卻把此話告訴了巡撫都堂。兩個會同把這知縣不法之事，參奏一本，論了他去。知縣臨去時，對衙門人道：“懶龍這人是有見識的，我悔不用其

---

1 肝膈相待：就是以誠相待的意思。

2 踧踖：形容謹慎恐懼的樣子。

言，以至於此。”正是：

> 枉使心機，自作之孽，
> 無梁不成，反輸一帖。

懶龍名既流傳太廣，未免別處賊情也有疑猜着他的，時時有些株連着身上。適遇蘇州府庫失去元寶十來錠，做公的私自議論道：“這失去得沒影響，莫非是懶龍？”懶龍卻其實不曾偷，見人錯疑了他，反要打聽明白此事。他心疑是庫吏知情，夜藏府中公廨黑處，走到庫吏房中靜聽。忽聽庫吏對其妻道：“吾取了庫銀，外人多疑心懶龍，我落得造化了。卻是懶龍怎肯應承？我明日把他一生做賊的事跡，纂成一本送與府主，不怕不拿他來做頂缸。”懶龍聽見，心裏思量道：“不好，不好。本是與我無干，今庫吏自盜，他要卸罪，官面前暗栽着我。官吏一心，我又不是沒一點黑跡的，怎辨得明白？不如逃去了為上着，免受無端的拷打。”連夜起身，竟走南京。詐妝了雙盲的，在街上賣卦。蘇州府太倉夷亭有個張小舍，是個有名極會識賊的魁首。偶到南京街上撞見了，道：“這盲子來得蹊蹺！”仔細一相，認得是懶龍詐妝的，一把扯住，引他到僻靜處道：“你偷了庫中元寶，官府正追捕，你卻遁來這裏妝此模樣躲閃麼？你怎生瞞得我這雙眼過？”懶龍挽了小舍的手道：“你是曉得我的，該替我分剖這件事，怎麼也如此說？那庫裏銀子是庫吏自盜了。我曾聽得他夫妻二人床中私語，甚的確。他商量要推在我身上，暗在官府處下手。我恐怕官府信他說話，故逃亡至此。你若到官府處把此事首明，不但得了府中賞錢，亦且辨明了我事，我自當有薄意孝敬你。今不要在此處破我的道路！”

　　小舍原受府委要訪這事的，今得此的信，遂放了懶龍，走回蘇州出首。果然在庫吏處，一追便見，與懶龍並無干涉。張小舍首盜得實，受了官賞。過了幾時，又到南京。撞見懶龍，仍妝着盲子在街上行走。小舍故意撞他一肩道：“你蘇州事已明，前日說話的怎麼忘了？”懶龍道：“我不曾忘，你到家裏灰堆中去看，便曉得我的薄意了。”小舍欣然道：“老龍自來不掉謊的。”別了回去，到得家裏，便到灰中一尋。果然一包金銀同着白晃晃一把快刀，埋在灰裏。小舍伸舌道：“這個狠賊！他怕我只管纏他，故雖把東西謝我，卻又把刀來嚇我。不知幾時放下的，真是神手段！我而今也不敢再惹他了。”

　　懶龍自小舍第二番遇見回他蘇州事明，曉得無礙了。恐怕終久有人算他，此後收拾起手段，再不試用，實實賣卜度日，棲遲長干寺中數年，竟得善終。雖然做了一世劇賊，並不曾犯官刑、刺臂字。到今蘇州人還說他狡獪耍笑事體不盡。似這等人，也算做穿窬小人中大俠了。反比那面是背非、臨財苟得、見利忘義一班峨冠博帶的不同。況兼這番神技，若用去偷營劫寨，為間作諜，那裏不幹些事業？可惜太平之世，守文之時，只好小用伎倆，供人話柄而已。正是：

　　　　世上於今半是君，猶然說得未均勻。
　　　　懶龍事跡從頭看，豈必穿窬是小人！

串講

　　這是一個俠盜的傳奇故事。開篇講宋朝臨安有個神偷叫做"我來也"，不知他的真實姓名，只知道他作案後都要留下"我來也"三個大字。朝廷大怒，派巡捕嚴加追查，終於抓獲了一個據說是"我來也"的人。但是，沒有任何證據表明他就是"我來也"，於是只能關押候審。那人進入牢中，多次指點獄卒到破廟、橋下收取他孝敬的銀兩，獄卒很快被收買了。這天夜裏三更時分，那人提出回家看看，很快就回，獄卒滿口答應。五更時分，那人從屋簷上跳下，神出鬼沒。第二天，城內五六家到官府稟告說"我來也"又出現了，於是官府覺得抓錯了人，便把關在牢內的那人放了，只有獄卒知道，他真的就是"我來也"。到了明代，蘇州又出了一個神偷，他是一個義俠，大家都叫他"懶龍"，又因為他作案後喜歡留下一枝梅花為記號，又叫他"一枝梅"。他身手矯捷，輕功了得，來去如風，在江湖上無人可比。他沒有固定住所，走哪睡哪，得來的錢財也用於扶貧濟困，贏得了老百姓的愛戴。一次，他遊太湖時得到了一面寶鏡，夜裏拿出一照如同白晝，更是如虎添翼。一天，懶龍原定要去一個大戶家偷盜千金，誤進了一個貧苦人家，聽聞他們為欠債哀傷，便仗義出手，立刻偷來二百兩銀子給他們度過難關。他小時的一個朋友，長大後困苦不堪，懶龍為了幫他，夜入一個鉅商家，不料被人發現，險些被抓，但仍然盜來一箱金銀，使朋友成為富翁。但是，懶龍雖然手段高明，也有失手的時候。比如一次他入室行竊，進入衣櫥後反被主人鎖在裏面。他急中生智，學老鼠咬衣聲，主人忙開衣櫥查看，於是他趁機溜走。又有一次，他到一家偷銀箱，夫妻倆將銀箱放在床中間，懶龍去拿銀箱，卻被警覺的妻子抱住腳，他於是用手搯那男人的腳，那男人連喊抓錯了，於是妻子放手，懶龍得以脫身並偷走銀箱。還有一次，懶龍到賣衣店偷衣服，被人發現後無奈躲到醬缸裏，眾人搜索後到別處找。懶龍算定他們會再查看醬缸，於是將衣服脫在醬缸裏，又佈置出自己已出門遠去的跡象，然後重新進入衣庫偷衣服，果然騙過了眾人，還偷走了好多衣服。淩晨扛着大包，路上碰上一群人盤問，他於是扔下事先備好的小包脫身而去。那些人在翻看小包時反而被失主當作賊亂打。懶龍由於本領高強，當地張指揮派人將他抓住，想判他有罪但沒有憑據。於是給他一夜時間，讓他將自己派人嚴加看守的鸚鵡偷走，此事就此作罷。懶龍到五鼓時分，先進入指揮使房間偷來他的衣服和裝飾，到天即將亮時，假扮指揮使讓困頓難耐的守兵撤崗，自己拿走了鸚鵡。指揮使驚奇之下，對他另眼相看。懶龍還曾與一個賭徒打賭，夜入他家先是學貓吃雞引開他妻子，然後用石頭投井假裝他妻子掉井引開賭徒，成功偷走了賭徒的錢。在賭徒請他喝酒時，酒店老闆不服，與他打賭。懶龍再次使用手段，偷走了被看管嚴密的酒壺。又一次，同伴看上了一個福建客商的錦被，懶龍夜入船艙，說着福建方言在船鋪上擠來擠去，趁機拿走了錦被。另一次，懶龍要懲戒米店老闆的無禮，假裝在米店旁飲酒作樂，趁機將糧庫搬運一空。對於怠慢自己朋友的道士，懶龍也略做懲戒，偷走他們的好帽子，還戲耍了他們。隔壁無錫知縣是個貪官，懶龍夜入其家，偷走了黃金二百兩，知縣查得是他所為，派巡捕拿他，懶龍重回縣衙，將知縣愛妾的頭髮剪去放在他的印盒裏，把知縣嚇得不敢再追究了。吳江知縣曉得懶龍的厲害，出重金請他偷盜上司的大印，懶龍手到擒來，但勸知縣不要輕舉妄動，知縣不聽，結果丟了官位，後悔沒有聽懶龍的話。懶龍名氣太大，很多不是他作的案子也安在他的頭上。一次蘇州國庫失竊，公差自然想到是懶龍作案，懶龍查明是管庫的監守自盜，但怕官官相護，乾脆逃到南京。蘇州公差張小舍無意碰到他，試圖敲詐他，懶龍告訴他真相並贈金，同時還有一把刀，嚇得小舍不敢再惹他。懶龍一生行俠仗義，最後安享天年。

評析

俠義之士一直是中華民族千古以來推崇的人物。據《史記·太史公自序》論遊俠的本質是："救人於厄，振人不贍，仁者有乎！不既信，不倍言，義者有取焉。"《遊俠列傳》更進一步勾勒出遊俠的精神面貌是："其行雖不軌於正義，然其言必信，其行必果，已諾必誠；不愛其軀，赴士之厄困。既已存亡死生矣，而不矜其能，羞伐其德。蓋亦有足多者焉。"在《遊俠列傳》裏，司馬遷曾提及"俠"的四種名目，分別是：布衣之俠、鄉曲之俠、閭巷之俠、匹夫之俠。我們這裏看到的懶龍，其實就屬於閭巷之俠，本篇最大的成就就是為我們刻畫了一個扶貧濟困、武藝高強的俠士形象。與唐傳奇中的俠士不同的是，這裏的懶龍是生活於民間、造福於百姓，他所做的並不是如紅線、聶隱娘、虯髯客那樣救國救民的驚天動地的大事，而是發生在我們身邊的普通事情，但是顯得更真實、更飽

神偷寄與一枝梅

滿。本篇的行文結構比較獨特，是由大大小小的故事連綴而成，大體分為劫富濟貧、巧計脫身、戲耍他人、使氣擾人、懲富治奸、脫身公案等幾部分，以懶龍本人的行動為連接全篇的線索，表現了他行俠仗義的一生。在懶龍形象的塑造方面，作者注重用事例說話。首先是機智，無論是巧計脫身、還是懲戒無錫知縣，到勸吳江知縣不要以身犯險，都體現了他不同常人的智慧和遠見。其次是慷慨大方，樂於助人，這一點在每個故事中都有提到，如幫助貧困夫妻還債，幫助朋友脫困，甚至對來抓他的捕快，也大度得很，令人折服。第三是身手了得，這在每一次作案都有詳細描述，特別是與賭徒朋友和酒店老闆打賭，與張指揮打賭，充分表現了他的偷盜能力。在用一個個故事來塑造懶龍形象時，作者特別善於使用細節描寫，比如偷人衣服巧計脫身一段，對他如何躲入醬缸、佈置現場等細節進行詳細描述，充分展示了他思慮周全、機智果斷的特點。從整篇文章看，作者對懶龍充滿了讚賞之意，與其說是要寫一個賊的故事，不如說是刻畫一個遊戲人間的世外高人。